Une Réplique qui tue par jour

UNE RÉPLIQUE QUI TUE PAR JOUR

Vincent
PERROT

Introduction

Cette collection, consacrée aux grands dialogues du cinéma, constitue, par ces deux premiers volumes, *Une Réplique comique par jour* et *Une Réplique qui tue par jour*, un début de synthèse des plus illustres phrases du cinéma français. Mais elle symbolise avant tout, un hommage respectueux à leurs auteurs. Des magiciens du langage dont on mentionne si rarement les noms, même quand certaines de leurs trouvailles passent à la postérité ou dans le langage courant. Sans les dialoguistes, le 7ème art ne serait-il pas qu'un avion sans ailes, un pétard sans mèche, une guitare sans cordes, un couscous sans semoule, un gratte-ciel sans ascenseur ou un impuissant sans Viagra ?

Avant de vous plonger dans les dialogues les plus cinglants, *flash back* sur une petite histoire du cinéma parlant. Moteur !

Après 35 ans de projections muettes ou parfois accompagnées d'un simple piano, les plans animés trouvèrent la parole grâce à divers procédés techniques, permettant enfin de synchroniser images et son sur la même pellicule. En 1927, le premier film officiellement parlant et chantant fut *Le Chanteur de jazz* (*The Jazz Singer*). Mais au commencement, les professionnels restèrent sceptiques et crurent surtout à une curiosité anecdotique sans avenir, devant les balbutiements de ce cinéma qui débitait des torrents d'inepties et permit à de nombreuses stars du muet de se rendre compte que leurs voix exécrables ridiculisaient leur physique de vamps ou de héros. *Chantons sous la pluie* (*Singin'in the Rain*, 1952) décrivait avec humour cette période passionnante du passage du cinéma muet au parlant et démontra que l'apparition des micros sur les plateaux de tournage fut un tournant majeur et définitif.

Dans les années 1930, les premiers dialogues étaient souvent écrits sans nuances et maladroitement interprétés par des acteurs au phrasé trop théâtral, mais le cinéma ne parla pas longtemps pour ne rien dire. La majorité des œuvres de cette période étaient des adaptations de romans populaires (Pierre Mac Orlan, Jules Renard, Gaston Leroux), de pièces classiques ou contemporaines (Marcel Pagnol, Maxime Gorki, Alfred Capus) et parfois d'opérettes très en vogue à l'époque. Dans un premier temps, c'est grâce à l'adaptation de ces œuvres préexistantes que le jeune cinéma parlant trouva... les mots pour le dire.

Le cinéma parlant et musical s'avéra ne pas être un phénomène de mode marginal condamné à court terme, mais bel et bien un nouveau départ du 7ème art. Un avenir inévitable, même si certains cinéastes dont Charlie Chaplin, continuèrent à réaliser des chefs d'œuvres tout en se montrant récalcitrants vis-à-vis de ces « mots inutiles ».

La France s'engouffra alors dans la brèche et les premiers « dialoguistes » étaient en fait les réalisateurs qui assuraient le spectre total du processus créatif de leur film : scénario, adaptation, mise en scène et désormais les dialogues. Dès 1930, ce fut le cas de René Clair (*Sous les toits de Paris, Quatorze juillet...*), Jean Renoir (*La Chienne, Boudu sauvé des eaux*), Jean Vigo (*L'Atalante*), Jacques Feyder (*Le Grand jeu*), Claude Autant-Lara (*Ciboulette*), Julien Duvivier (*La Bandera*), Sacha Guitry (*Le Roman d'un tricheur*)...

Parallèlement aux musiciens désormais spécialisés dans la composition pour l'image (Jaubert, Wiener, Van Parys, Kosma, Auric, Misraki), le premier dialoguiste important du cinéma français fut

Charles Spaak. Il s'imposa d'emblée comme le scénariste-dialoguiste le plus prolifique du cinéma réaliste des années 1930 et 1940, aux côtés de Jacques Prévert et Henri Jeanson, lequel fut le premier à truffer ses dialogues de formules marquantes et trouvailles humoristiques. Considéré comme le père spirituel de Michel Audiard, Henri Jeanson est l'auteur qui, grâce à ses dialogues légendaires pour *Pépé le Moko, Entrée des artistes* ou *Hôtel du Nord*, a bénéficié du titre officieux d'homme qui a « appris à parler au cinéma français ».

Grâce à leur sens inné des « mots pour l'image », Jean Cocteau (*L'Éternel retour*), Jacques Companeez (*Casque d'or*) ou Auguste Le Breton (*Bob le flambeur*), complétèrent ce quatuor incontournable composé du duo « *Jean Aurenche / Pierre Bost* » (*Les Orgueilleux, La Traversée de Paris, En cas de malheur*), Charles Spaak et Henri Jeanson, lesquels régnèrent sur le cinéma français jusqu'à l'arrivée de celui qu'André Pousse surnommait affectueusement « le p'tit cycliste », Michel Audiard.

Avec l'écriture d'une centaine de scénarii et dialogues entre 1950 et 1985, Audiard apporta un nouveau souffle dans le « classicisme » ambiant, se montrant tout aussi à l'aise dans l'univers populaire de *Rue des prairies* avec Gabin (1959), l'humour décalé des *Tontons flingueurs* (1963) de Lautner ou l'extrême précision finement ciselée de *Garde à vue* (1981) pour Serrault et Ventura.

Malgré la nouvelle vague qui tenta de perturber le cinéma français des années 1960, Audiard cohabitera durant trente-cinq ans avec d'autres ténors du verbe : son complice Albert Simonin, Daniel Boulanger, José Giovanni, Jacques Vilfrid, Paul Gégauf, Marcel Jullian, Jean-Loup Dabadie, Jean-Claude Carrière, Francis Veber, Jean Curtelin, Pascal Jardin, Danièle Thompson, Jean-Marie Poiré, Christopher Franck... Cette liste non exhaustive ne peut omettre de décerner une mention d'honneur à la plume redoutablement efficace et caustique de l'unique et immense Bertrand Blier.

Les générations plus récentes révèlent les noms de l'équipe du Splendid en groupe ou en solo et de très prometteurs auteurs-réalisateurs tels Jacques Fieschi, Cédric Klapish, Léa Fazer, Albert Dupontel, Valérie Guignabodet, Rémi Bezançon, Isabelle Mergault, Rémi Watherhouse, Alexandra Leclère ou Serge Frydman.

Avec le précieux concours de Sophie Boyens, jeune cinéphile compulsive belge, nous avons « écouté » plus de 500 films de 1931 à nos jours, à la recherche de 365 pépites. Les répliques les plus acerbes, sarcastiques, insolentes, mordantes, incisives ou même blessantes, mais à coup sûr inoubliables !

Vincent Perrot

Gynéco ou phoniatre ?

Marina Foïs à Patrick Bruel dans ***Le code a changé*** (2009).

C'est pas les trompes qu'il faut lui ligaturer à elle, c'est les cordes vocales !

Réalisé par Danièle Thompson. Scénario et dialogues de Danièle et Christopher Thompson. Thelma films/Alter films/Studiocanal/TF1 films production/Raid films production.

Bon anniversaire, mon p'tit vieux !

André Brunot à Arletty dans ***Maxime*** (1958).

— Sole, compote… Sole, compote… Quel régime ! Je ne suis pas malade que je sache ?
— T'es vieux, ça revient au même !

Réalisé par Henri Verneuil. Scénario d'Henri Jeanson et Albert Valentin, d'après l'œuvre d'Henri Duvernois. Dialogues d'Henri Jeanson.

Casse-toi tu pues… et marche à l'ombre

Miou-Miou à Michel Blanc dans ***Tenue de soirée*** (1990).

Faut que tu te tires Antoine, puisque tu sers à rien. Je préfère encore me démerder toute seule. Casse-toi, fous le camp, j'ai pas besoin d'un incapable dans mes jambes. Tu portes la poisse, tu fous le bourdon. Termine ta limonade et débine !

L'embarras du choix ?

La barmaid à Eddie Constantine dans ***La Môme vert-de-gris*** (1953).

(Arrivant au bar de l'aéroport de Casablanca...)

— Qu'est-ce que je vous donne monsieur ?
— J'hésite… entre vos yeux, votre nez, votre bouche, vos cheveux.
— Décidez-vous pour autre chose, un whisky par exemple…

Réalisé par Bernard Borderie. Adapté du roman de Peter Cheyney par Bernard Borderie. Dialogues de Jacques Berland.

Rupture à l'amiable ?

Michel Piccoli à Anna Karina dans ***De l'amour*** (1964).

— On a rompu, mais quand on se rencontre on peut quand même se dire bonjour.
— Tu sais pourquoi je ne t'ai pas vitriolé ?
— Parce que ça ne se fait plus !
— Exactement, parce que ça ne se fait plus.

Réalisé par Jean Aurel. Scénario et dialogues de Cécil Saint-Laurent, d'après l'œuvre de Stendhal. © TF1 International/Les Films de la Pléiade/Rio International.

Satellite géostationnaire

Robert Dalban à Jean Gabin dans ***Le Pacha*** (1968).

— Si c'est un interrogatoire, qu'est-ce que t'attends pour faire monter des sandwichs et de la bière.
— ...
— À quoi tu penses ?
— Je pense que quand on mettra les cons sur orbite, t'as pas fini de tourner !

Réalisé par Georges Lautner. Adaptation de Michel Audiard et Georges Lautner d'après le roman de Jean Laborde *Pouce*. Dialogues de Michel Audiard.

Négociations expéditives

Bernard Blier à ses employés dans ***Un Idiot à Paris*** (1967).

Vous semblez oublier en effet mes amis que vous n'êtes que des salariés, c'est-à-dire les êtres les plus vulnérables du monde capitaliste. Des chômeurs en puissance.
[...]
C'est pourquoi mes amis, si vous avez des revendications de salaire à formuler, vous m'adressez une note écrite, et je la fous au panier et on n'en parle plus ! Nous sommes bien d'accord ?

Réalisé par Serge Korber. Adaptation de Michel Audiard, Jean Vermorel, Serge Korber, d'après l'œuvre de René Fallet. Dialogues de Michel Audiard.

Mythique

Louis Jouvet à Arletty dans ***Hôtel du Nord*** (1938).

— J'ai besoin de changer d'atmosphère, et mon atmosphère, c'est toi !
— C'est la première fois qu'on me traite d'atmosphère ! Si je suis une atmosphère, t'es un drôle de bled. Oh ! là ! là ! les types qui sont du milieu sans en être et qui crânent à cause de ce qu'ils ont été, on devrait les vider ! Atmosphère… atmosphère ! Est-ce que j'ai une gueule d'atmosphère ? Puisque c'est comme ça, vas-y tout seul à La Varenne. Bonne pêche et bonne atmosphère !

Réalisé par Marcel Carné. Scénario de Jean Aurenche et Henri Jeanson, d'après l'œuvre d'Eugène Dabit. Dialogues d'Henri Jeanson.

Recto ou verso ?

Alfred Adam à Jean Brochard dans ***Boule de suif*** (1945).

Monsieur Loiseau, vous n'êtes, tout bien pesé, qu'un lâche, qu'un grossier personnage. Vous ne valez pas la paire de claques qu'on a envie de vous octroyer. Paire de claques ou coups de pied aux fesses. On hésite ! D'autant qu'on ne sait plus distinguer votre derrière de votre visage !

Réalisé par Christian-Jaque. Scénario et adaptation d'Henri Jeanson, Louis d'Hée et Christian-Jaque, d'après l'œuvre de Guy de Maupassant. Dialogues d'Henri Jeanson.

Plus franc, tu meurs !

Simone Signoret à Alain Delon dans ***La Veuve Couderc*** (1971).

— Où t'étais toute la nuit ?
— Avec Félicie. Tu le sais parfaitement bien que j'étais avec elle, pourquoi tu me le demandes ?
— Qu'est-ce que tu lui trouves à Félicie ?
— Elle est jeune.

Réalisé par Pierre Granier-Deferre. Adaptation de Pascal Jardin et Pierre Granier-Deferre, d'après l'œuvre de Georges Simenon. Dialogues de Pascal Jardin.

Mauvais perdant

Josiane Balasko à Christian Clavier dans ***Les Bronzés*** (1978).

(Christian Clavier perd au ping-pong et manque un coup…)

— Ooooooh, c'est rageant ça !
— Tu comprends, il joue comme un pied. Il a pas un jeu fin… C'est très difficile de jouer avec un type qui est moins fort que soi.
— Avec un type plus fort aussi, remarque…

Pas sorti de l'auberge...

Le garagiste à Benoît Poelvoorde dans ***Atomik Circus*** (2004).

(Benoît Poelvoorde pousse sa voiture, en panne, jusqu'à une station essence...)

— En panne, non ?
— Non... J'adore rentrer dans les villages en poussant ma bagnole.
— Faudrait peut-être la réparer...
— D'accord. Je suis tombé sur un intellectuel, c'est mon jour de chance. Bon, arrive ici le neurone !

Réalisé par Didier et Thierry Poiraud. Scénario de Jean-Philippe Dugand, Didier Poiraud, Thierry Poiraud, Vincent Tavier, Marie Garel-Weiss, d'après l'univers imaginé de X90 et Didier Poiraud.

SOS détresse !

Pierre Richard à Gérard Depardieu dans ***Les Compères*** (1983).

— Une fois, moi, c'est un éboueur qui m'a sauvé. Je voulais vraiment me foutre en l'air, il fallait absolument que je parle à quelqu'un. Il venait pour les étrennes…
— Il a été gâté, dites-moi !

Lapin à la moutarde ou poulet au vinaigre ?

Michel Serrault à Guido Cerniglia (le docteur) et Ugo Tognazzi dans ***La Cage aux folles*** (1978).

— J'ai envie de mourir, docteur ! J'ai envie de mourir ! Vous étiez en train de dîner ?
— Oui.
— Ça se réchauffe, au moins ?
— Du lapin à la moutarde…
— Oh, oui alors ça se réchauffe bien. Alors, voilà ce que vous faites, vous faites réduire le fond de sauce… dans la sauteuse. Mais attention, vous faites ça dans la sauteuse en cuivre. Ça je dis toujours à mes amis : la sauteuse en cuivre. Sinon, alors je ne réponds de rien…
- *(Ugo Tognazzi impatient…)* Alors, tu meurs ou tu cuisines !

Réalisé par Édouard Molinaro. Scénario et adaptation de Francis Veber, Édouard Molinaro, Marcello Danon et Jean Poiret, d'après sa pièce.

Un pigeon de compétition

José Garcia parlant de François Cluzet dans ***Quatre Étoiles*** (2006).

J'avais un pigeon… Un type idéal, une espèce d'abruti, une enclume ! Je l'ai vu arriver, il avait une auréole avec écrit "ducon" dessus !

Réalisé par Christian Vincent. Scénario et dialogues d'Olivier Dazat et Christian Vincent.

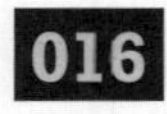

Le beau parleur...

Alain Delon à Nathalie Baye dans ***Notre Histoire*** (1983).

— Pour l'instant, je bois ma bière et après je vais te parler. Ça fait des années que j'ai envie de parler. J'ai l'intention de te parler pendant des heures.
— T'as pas peur que je m'emmerde ?

Belle réputation...

Danièle Delorme, Jean Gabin et Germaine Kerjean dans ***Voici le temps des assassins*** (1956).

— Quand on crève de faim, toutes les idées sont bonnes.
— Fallait faire comme tout le monde, boulonner et retrousser ses manches. Cette idée-là ne vous est pas venue, non ?
— Tu vois Gabrielle retrousser ses manches ?
— Ses jupes, oui !

Réalisé par Julien Duvivier. Scénario, adaptation et dialogues de Charles Dorat, Julien Duvivier, Maurice Bessy et Pierre-Aristide Bréal.

Je t'aime moi non plus

Isabelle Huppert à Benoît Magimel dans ***La Pianiste*** (2001).

Je n'ai pas de sentiments Walter, et si j'en ai un jour, ils ne triompheront pas de mon intelligence !

Écrit et réalisé par Michael Haneke, d'après le roman de Elfriede Jelinek.

Le sens du compliment...

Jacques Villeret à Denise Filiatrault dans ***Effraction*** (1983).

— Vous avez une belle voix...
— Vous trouvez ?
— Seulement, il vaut mieux vous écouter les yeux fermés parce que quand on voit votre gueule, ça fout tout par terre !

Écrit et réalisé par Daniel Duval et Francis Ryck, d'après son roman.

Bienvenue parmi nous !

Benoît Poelvoorde à Gérard Lanvin dans ***Le Boulet*** (2001).

(Benoît Poelvoorde, gardien de prison, s'adressant à Gérard Lanvin, prisonnier...)

LE Caïd. LA Terreur. Monsieur "Je-fais-peur-à-tout-le-monde". Dis-moi, c'est un grand honneur que tu nous fais en venant ici, j'espère qu'on saura s'en montrer dignes. Mmmh ? Dehors, t'étais p't'être une star, une vedette, un caïd. Mais ici… t'es rien du tout. T'es qu'un p'tit figurant !

Réalisé par Alain Berberian et Frédéric Forestier, scénario, adaptation et dialogues de Matt Alexander et Thomas Langmann.

Humiliation par procuration...

Julie Depardieu à Nicolas Jouxtel dans ***Podium*** (2004).

Toi aussi tu veux jouer à Claude François ? Toi aussi tu veux faire comme papa ? Toi aussi tu veux faire les podiums Paul Ricard ? Les foires aux asperges ?

Distingué, non ?

Alain Delon à Carla Marlier dans ***Mélodie en sous-sol*** (1962).

— T'amuse pas à faire du stop parce qu'il y a que les voyous qui s'arrêtent.
— Pour tomber sur un voyou comme toi, il faudrait vraiment que je n'aie pas de chance.
— Ben, confidence pour confidence, des morues de ton espèce, je donne un coup de pied dans un bec de gaz, il en dégringole cinquante !

Réalisé par Henri Verneuil. Scénario d'Albert Simonin, Michel Audiard et Henri Verneuil, d'après l'œuvre de John Trinian. Dialogues de Michel Audiard.

Ma bonne Suzanne...

Jean Gabin à Suzanne Flon dans ***Un Singe en hiver*** (1962).

— Écoute ma bonne Suzanne, t'es une épouse modèle. Mais si, t'as que des qualités et physiquement t'es restée comme je pouvais l'espérer. C'est le bonheur rangé dans une armoire, et tu vois, même si c'était à refaire, je crois que je t'épouserais à nouveau, mais tu m'emmerdes.
— Albert !
— Tu m'emmerdes gentiment, affectueusement avec amour, mais tu m'emmerdes !

Réalisé par Henri Verneuil. Adaptation de François Boyer, d'après l'œuvre d'Antoine Blondin. Dialogues de Michel Audiard.

Papa, tango, Charlie...

Clotilde Courau à Charlotte Rampling dans ***Embrassez qui vous voudrez*** (2002).

— Je suis sur un petit nuage…
— Méfie-toi, ça te réussit pas l'altitude… La dernière fois, tu es redescendue très vite et très enceinte !

Réalisé et dialogué par Michel Blanc. © UGC.

À part ça, vous avez un métier ?

Philippe Lefebvre à Jean-Paul Rouve dans ***Ce soir, je dors chez toi*** (2007).

— Vous êtes écrivain, c'est ça ?
— Oui. Oui, oui.
— Ça doit être pas facile d'en vivre.
— Ah, ça !
— Vous avez un job à côté ?
— Oui, je bosse aux Galeries Lafayette. Il y a BHL au rayon lingerie, et puis, tous les midis, je déjeune à la cantoche avec Jean d'Ormesson !

Réalisé par Olivier Baroux. Scénario et dialogues de Michel Delgado et Jean-Paul Bathany, librement adapté des bandes dessinées de Dupuy et Berberian *Monsieur Jean*.

Brossage dans le sens du poil...

Une prétendante roumaine à Michel Blanc et Eva Darlan dans ***Je vous trouve très beau*** (2005).

— Je vous trouve très beau...
— Encore ! Et pourquoi elles disent que je suis beau ? Qu'est-ce que j'en ai à faire qu'on dise si je suis beau ou pas ? Expliquez-lui qu'elle est pas obligée de dire ça. Expliquez-lui que je suis pas beau !
— Ben… elle le voit, hein… je veux dire… elle vous voit !

Allez, pas d'histoires entre amis !

Michel Blanc à Gérard Jugnot dans ***Les Bronzés 3*** (2006).

— J'suis désolé Bernard, j'étais de bonne foi. C'était dans le noir, je pouvais pas savoir que c'était ta femme qui était venue dans mon lit.
— Tu sais pas avec qui tu couches toi ?
— Ben, quand tu reçois un bouquet de fleurs, même quand il n'y a pas de carte de visite, tu les mets dans un vase, tu les fous pas à la poubelle !

Réalisé par Patrice Leconte. Scénario et dialogues de Josiane Balasko, Michel Blanc, Marie-Anne Chazel, Christian Clavier, Gérard Jugnot, Thierry Lhermitte.

Elle vend du vent !

Philippe Chevallier à Virginie Lemoine dans ***Ma femme s'appelle Maurice*** (2002).

— Tu n'as pas eu une enfance difficile comme moi. Tu n'as jamais manqué de rien et maintenant tu as une galerie. Tu vends, tu vends mais du vent !
— C'est grâce à ce vent-là que tu manges.

On croit qu'on peut compter sur les amis…

Annie Girardot à son ami homosexuel Jacques François dans ***Cause toujours tu m'intéresses…*** (1979).

— Tiens, regarde-moi. Si tu aimais les femmes, qu'est-ce que tu aurais envie de faire avec un truc pareil ? Tu sais ce que je suis, Daniel ?
— Dépressive…
— Non. Vieille !
— Bon, alors, d'accord. Tu prends ta retraite, tu vas à l'hospice et tu arrêtes de nous emmerder !

Réalisé par Édouard Molinaro. Adaptation et dialogues de Francis Veber, d'après le roman de Peter Marks *Hang ups*.

Entre Mansfield et Lollobrigida...

Isabelle Gélinas à Jean-Pierre Bacri dans ***Didier*** (1997).

— Et ta blondasse, ça va ?
— Ma blondasse ?
— La blondasse avec laquelle je t'ai vu lundi.
Qu'est-ce qu'elle fait dans la vie, à part nichons ?

Attention les doigts !

Isabelle Adjani dans ***L'Été meurtrier*** (1983).

Regardez-moi cette conne ! Quand je me vois comme ça, heureusement que c'est comique, sinon, je me tuerais. Lui, tout ce qu'il veut, c'est lui enlever sa pourriture de culotte. Et elle, tout ce qu'elle veut, c'est qu'il y arrive. Et qu'il ne se coince pas les doigts dans la fermeture Éclair !

Réalisé par Jean Becker. Adaptation et dialogues de Sébastien Japrisot, d'après son roman.

Protection pas très rapprochée...

Élodie Navarre dans ***Gomez et Tavarès*** (2003).

Ah ! ben bravo ! les gars ! La prochaine fois que j'aurai besoin de protection, je m'achèterai un caniche !

Réalisé par Gilles Paquet-Brenner. Scénario et dialogues de Renaud Bendavid et Gilles Paquet-Brenner.

Et pan !

Elli Medeiros à Ornella Mutti dans ***Jet Set*** (2000).

— Je n'ai pas tourné avec lui ?
— Il n'était pas né, chérie !

Réalisé par Fabien Onteniente. Scénario de Fabien Onteniente. Adaptation et dialogues de Fabien Onteniente, Bruno Solo et Emmanuel de Brantes. © Mandarin/TF1 Films Production/Filmart.

Gendarmes, policiers, douaniers…

Albert Dupontel à Claude Perron dans ***Bernie*** (1996).

— Déguisés en flics ! Sales enculés, c'est bien foutu leur combine !
— C'est la société qui est bien foutue. Elle met des uniformes aux connards pour qu'on puisse les reconnaître !

Réalisé par Albert Dupontel. Scénario d'Albert Dupontel et Gilles Laurent. Dialogues d'Albert Dupontel.

Charlotte forever...

Gilles Lellouche à Vincent Elbaz dans ***Ma Vie en l'air*** (2005).

— Ça fait combien de temps que tu l'as pas vue Charlotte ?
— Dix ans.
— Ben, moi j'dirais deux bons kilos par an. Charlotte, c'est devenu Barry White !

C’te bonne paire !

François Berléand à Guillaume Canet dans ***Mon Idole*** (2002).

Dommage, Bastien vous êtes doué. La trempe des meilleurs. Mais ce qu’il vous manque, c’est une bonne paire de couilles !

Réalisé par Guillaume Canet. Scénario de Guillaume Canet et Philippe Lefebvre. Dialogues de Guillaume Canet, Philippe Lefebvre et Éric Naggar.

Couple en crise

Gilles Gaston-Dreyfus à Marina Tomé dans ***Monique*** (2002).

— Tu m'englues ! Dans ta perfection, ta… ta bonté, tes sacrifices !
— Oui, mais c'est parce que moi…
— Parce que tu as peur ! Et que moi, je suis lâche ! Et que les hommes, eh ben, ils sont trop lâches pour quitter les saintes !
— Je comprends pas ce que tu veux de plus.
— Je voudrais me branler sous la douche le matin sans avoir mauvaise conscience !

La bonne copine

Axelle Abbadie à Michèle Laroque dans ***Pédale douce*** (1996).

Ma chérie, avec toi, n'importe quel homme deviendrait pédé !

Réalisé par Gabriel Aghion. Scénario de Gabriel Aghion. Adaptation de Gabriel Aghion et Patrick Timsit. Dialogues de Pierre Palmade.

Y'a pas de petites économies...

La belle-sœur à Michel Serrault dans ***Pile ou face*** (1980).

(Il parle de sa femme avec sa belle-sœur...)

— Tu n'avais pas le droit de faire ça. Tu n'avais pas le droit !
— Je ne fais que respecter ses dernières volontés.
— Je ne parle pas de ça, je parle de l'enterrement. Elle avait droit à la deuxième classe, pas à la quatrième, sans sermon et sans musique.
— Elle n'aimait pas la musique.
— Et le cercueil, tu pouvais pas prendre du chêne, non ?
— Ça brûle moins bien !

Réalisé par Robert Enrico. Scénario de Marcel Jullian et Robert Enrico, d'après le roman d'Alfred Harris *Suivez le veuf*. Dialogues de Michel Audiard.

Et Bercy beaucoup !

Jean-Paul Belmondo dans ***La Chasse à l'homme*** (1964).

Deux milliards d'impôts nouveaux ! Moi, j'appelle plus ça du budget, j'appelle ça de l'attaque à main armée !

Réalisé par Édouard Molinaro. Scénario de France Roche, d'après une idée d'Yvon Guezel. Personnages créés par Albert Simonin. Dialogues de Michel Audiard.

Petite insolente !

Morgane Moré à Isabelle Huppert dans ***Saint-Cyr*** (2000).

Vous aussi vous vous flagellez ? Non, suis-je sotte, comme à votre habitude, vous faites juste couler le sang des autres…

Réalisé par Patricia Mazuy. Scénario de Patricia Mazuy et Yves Thomas, d'après le roman d'Yves Dangerfield *La Maison d'Esther*. Dialogues d'Yves Thomas.

Spiderman, Batman, Superman...

Benoît Poelvoorde dans ***Narco*** (2004).

(Guillaume Canet annonce à Benoît Poelvoorde qu'il veut devenir dessinateur de BD...)

Ouais, ouais. Ben, voilà, tu l'as ton job, hein. T'as qu'à vendre tes conneries. Parce que, regarde, là, ils sont tous comme des cons là, avec leur Spiderman et l'aut' pédé en collants. Il y a de la place pour toi. No problemo !

Réalisé par Christian Aurouet et Gilles Lellouche. Scénario et dialogues de Gilles Lellouche, d'après une idée originale d'Alain Attal et Philippe Lefebvre.

Les héros sont fatigués

Daniel Auteuil à Emmanuelle Béart dans ***Une Femme française*** (1995).

Je me sens vieux et foutu, je me dégoûte. J'étais venu pour te dire ça, que t'étais libre, que… je vaux pas le coup. Je devais gagner la guerre, tu devais m'attendre. On s'est trompés. On n'est pas des héros. Je suis un lâche, t'es une putain !

Réalisé par Régis Wargnier. Scénario original de Régis Wargnier. Adaptation et dialogues de Régis Wargnier et Alain Le Henry.

Avertissement solennel

Daniel Auteuil dans ***36, quai des Orfèvres*** (2004).

Tu tournes encore autour de Manou… Je t'ouvre le ventre et j'y mets la tête de ton frère !

Écrit et réalisé par Olivier Marchal, d'après un scénario original d'Olivier Marchal, Frank Mancuso et Julien Rappeneau, avec la participation de Dominique Loiseau.

À bon entendeur...

Jean Brochard à Micheline Presle dans ***Boule de suif*** (1945).

— C'est parfois quand on croit que les femmes succombent qu'elles résistent le mieux.
— Bien sûr. Les hommes croient toujours qu'on les aime parce qu'ils nous plaisent. Quelle blague ! On les aime souvent pour se débarrasser d'eux !

Réalisé par Christian-Jaque. Scénario et adaptation d'Henri Jeanson, Louis d'Hée et Christian-Jaque, d'après l'œuvre de Guy de Maupassant. Dialogues d'Henri Jeanson.

C'est quand l'héritage, papa ?

Yves Montand à Isabelle Adjani dans ***Tout feu tout flamme*** (1982).

(Isabelle Adjani est très en colère contre son père mythomane…)

— J'en ferai le plus beau casino d'Europe. Et ce sera pour vous, pour toi, pour tes sœurs !
— Quand ?
— Eh bien, plus tard…
— Quand tu seras mort ?
— Ben… Ben oui.
— Tu peux me donner une date ?

Réalisé par Jean-Paul Rappeneau. Scénario de Joyce Buñuel, Élisabeth Rappeneau et Jean-Paul Rappeneau.

Qui dit mieux ?

Sylvie Testud à Gérard Depardieu dans ***Aime ton père*** (2002).

— Je t'ai donné ma vie, moi !
— Ta vie, elle me suffoque, Virginia ! Regarde-toi, t'es affreuse. T'es constipée, anorexique, t'as peur de tout. T'as même peur de ta merde ! T'as peur de chier, t'as peur de manger. Tu bouffes pas assez et tu chies pas assez. C'est le drame de ta vie !

Confidence pour confidence…

Jean Carmet à Louis de Funès dans ***La Soupe aux choux*** (1981).

J'vais te dire une chose. J'ai jamais eu qu'une femme… Et puis c'était la tienne.

Réalisé par Jean Girault. Adaptation de Louis de Funès et Jean Halain, d'après l'œuvre de René Fallet.

Quel toupet !

Marthe Villalonga à Macha Béranger dans ***Comme t'y es belle !*** (2006).

— En tout cas, ma chérie, tu as jamais été aussi bien coiffée qu'aujourd'hui. On dirait une perruque !
— Mais… C'EST une perruque.
— Ah ! La vérité, on dirait pas, hein…

Il l'a vraiment dit, ça ?

Thierry Lhermitte à Alain Chabat dans ***Trafic d'influence*** (1999).

— Mon père, souvenez-vous de la parabole du bon Samaritain. Aide ton prochain comme toi-même.
— D'abord, c'est AIME ton prochain, et pas AIDE ton prochain. Mais Jésus a dit aussi : "Regardez les oiseaux dans les champs : jamais ils ne sèment ni ne récoltent, et pourtant notre Père céleste les nourrit." Alors, je vous aime beaucoup, mais foutez-moi le camp et faites comme les oiseaux !

Réalisé par Dominique Farrugia. Scénario et dialogues de Dominique Farrugia et Dominique Mezerette.

Des vocalises au gnouf !

Bernard Blier à son domestique dans ***Je ne sais rien mais je dirai tout*** (1973).

(Bernard Blier, grand armurier, s'adressant à son maître d'hôtel qui fredonne...)

— Qu'est-ce que vous chantez là ?
— Je vous demande pardon ?
— Chantez un peu plus fort, pour voir…
— *C'est la lutte finale…*
— Vous ferez deux mois de taule, ça vous éclaircira la voix !

Réalisé par Pierre Richard. Scénario et dialogues de Pierre Richard et Didier Kaminka. © Les Films Christian Fechner/Renn Productions.

Courageux mais pas téméraire

Marie Trintignant à Thierry Lhermitte dans ***Le Prince du Pacifique*** (2000).

— Un vrai trouillard, hein ! Mon mari n'aurait pas hésité une seule seconde, mais enfin bon, lui était courageux…
— Parce que attaquer un bateau de guerre à la machette en laissant derrière une veuve et un orphelin, c'est du courage ? C'est de la folie furieuse, oui !
— Vous avez raison, oui. C'est bien plus malin d'aller se faire massacrer à plusieurs !

Réalisé par Alain Corneau. Scénario, adaptation et dialogues de Christian Bielgaski, Lucia Etxbarria, Pierre Geller, Laurent Chalumeau, Éric Collins, Alain Corneau et Thierry Lhermitte.

Bien dit, Alexandra !

Alexandra Lamy à Stéphane Rousseau dans ***Modern Love*** (2008).

Je ne doute pas que le charme bas de gamme qui se dégage de votre personne puisse attirer certaines femmes peu regardantes ou désespérément ambitieuses [...].

On connaît la chanson

Roland Giraud à Dominique Lavanant dans ***Trois Hommes et un Couffin*** (1985).

— Vous avez jamais entendu la chanson qui dit : *la médecine est une putain, son maquereau c'est le pharmacien* ?
— Nous n'écoutons probablement pas les mêmes chanteurs ! Personnellement, j'aime beaucoup l'opéra !

Les vertus du pruneau...

Marie-France Pisier à l'ensemble de la famille attablée dans ***Pardonnez-moi*** (2006).

— Pourquoi n'y a-t-il pas de différence entre un homme et un pruneau ?
(Personne ne répond...)
— Parce qu'on les suce un soir, et le lendemain ils vous font chier !

Le roi des Huns ?

Jacqueline Maillan à Martin Lamotte dans ***Papy fait de la résistance*** (1983).

(Jacqueline Maillan se plaint de la réquisition de son hôtel particulier...)

— Croyez-moi, ce sergent va se faire sonner les cloches. Il y a sûrement une indemnisation de prévue.
— Mais enfin, maman, ce ne sont pas des déménageurs, c'est l'armée du Reich ! Ce sont des envahisseurs ! Attila n'a jamais remboursé un seul centime, ça se saurait !

Réalisé par Jean-Marie Poiré. Scénario et dialogues de Christian Clavier, Martin Lamotte et Jean-Marie Poiré, d'après une histoire originale de Christian Clavier et Martin Lamotte.

L'expérience parle...

Nathalie Baye à Marie Gillain dans ***Absolument fabuleux*** (2001).

— Juste une biscotte et un verre d'eau.
— Avec du caviar dessus ?
— Quand une femme n'ovule plus, chérie, ce sont les seuls œufs qui lui restent !

Réalisé par Gabriel Aghion. Scénario, dialogues et adaptation de Gabriel Aghion, François-Olivier Bousseau et Rémi Waterhouse, avec la participation de Pierre Palmade.

Le jeu avec le feu

Le médecin à Marion Cotillard dans ***La Môme*** (2007).

— Vous devriez annuler ce concert, Madame Piaf, vous jouez avec votre vie.
— Et alors, il faut bien jouer avec quelque chose !

Réalisé par Olivier Dahan. Scénario et adaptation d'Olivier Dahan et Isabelle Sobelman.

Le temps passe si vite...

Macha Méril à Jean Yanne dans ***Nous ne vieillirons pas ensemble*** (1972).

— Tu sais, ils ont dit que j'étais шутница, à cause de mon accent. Ça veut dire rigolote.
— Faut dire aussi que... qu'ils t'ont vue que trois semaines. Ils savent pas comment t'es chiante au bout de dix ans.
— Onze, mon chéri !

Raccourci de banlieue...

Sylvain Phan dans ***L'Esquive*** (2003).

C'est une meuf, elle est dans ma ssecla, elle a pas de seins, ni de cul, ni rien du tout, nada, rien. Elle pue la merde !

Mais que Marianne était jolie...

Jean Dujardin, Frédéric Maranbert et Marianne Groves dans ***Mariages !*** (2004).

— La mauvaise conscience masculine est le plus fort ciment du couple.
— Absolument.
— Qu'est-ce que ça veut dire, ça ?
— Ça veut dire j'étais jeune, j'étais belle et t'as fait de moi une grosse vache !

Une bonne moyenne

Martine Sarcey à Victor Lanoux dans ***Un Moment d'égarement*** (1977).

Ne prend pas mal ce que je vais te dire. En douze jours… t'es le douzième que je me tape. Mais en dix-sept ans, vous n'êtes que treize !

Un plan pas gagné

Guillaume Canet à Élodie Navarre dans ***Jeux d'enfants*** (2003).

— Moi, c'est Julien.
— Et moi, c'est va te faire mettre !

La loi de la jungle

Benoît Poelvoorde dans ***Les Portes de la gloire*** (2001).

C'est la guerre, Jérôme ! C'est eux ou c'est toi ! C'est manger ou être mangé. *Eat or to be eat. That's the QUESTION* ! *Right* ? T'es pas ici pour les plaindre ou pour leur dire qu'ils sont dans la merde. T'es ici pour leur VENDRE de la merde et les féliciter d'avoir choisi la reliure, OK ? Alors tu sais ce que tu vas faire ? Tu vas arrêter avec tes petits airs « monsieur, votre bite a un goût, tu vas ranger ta honte en poche et tu vas te battre. Sinon, tu te CASSES, OK ?

Réalisé par Christian Merret-Palmair. Scénario et dialogues de Pascal Lebrun, Christian Merret-Palmair et Benoît Poelvoorde.

Méchante et rancunière

Johanne-Marie Tremblay à Dorothée Berryman dans ***Les Invasions barbares*** (2003).

— C'est pas trop dur d'avoir son mari à l'hôpital ?
— Ça fait 15 ans que je l'ai mis dehors de la maison. Alors, qu'il soit ici où dans son appartement en train de sauter des étudiantes, ça change pas grand-chose à vrai dire…

066

Habillé pour l'hiver, le printemps, l'été...

Miou-Miou à Michel Blanc dans ***Tenue de soirée*** (1990).

— Pauvre type, espèce de con, t'es vraiment rien qu'une merde ! Putain de nom de Dieu, qu'est-ce que j'ai fait au ciel pour toucher une cloche pareille ?
— Oui mais moi je t'aime.
— On le sait. T'arrêtes pas de me le seriner, change de disque. Annonce-moi des bonnes nouvelles au lieu de tout le temps me parler de ton amour.

Chirac ! Patrick Chirac...

Gérard Lanvin à Franck Dubosc dans ***Camping*** (2006).

— Tu t'appelles Chirac, toi ?
— Ben oui ! Chirac ! Patrick Chirac ! Pourquoi ?
— Ben...
— Ah oui, d'accord... non, non, rien à voir. Attends, on s'est même jamais rencontrés ! Par contre, c'est lourd à porter, hein. Chez Amora *(l'usine où il travaillait)*, ils m'appelaient Bernadette !

Réalisé par Fabien Onteniente. Scénario et dialogues de Emmanuel Booz, Franck Dubosc, Philippe Guillard et Fabien Onteniente.

L'Aveu !

Louis de Funès à Suzy Delair dans ***Les Aventures de Rabbi Jacob*** (1973).

(Au téléphone, décrivant une maîtresse imaginaire à sa propre femme…)

Je l'aime parce qu'elle n'a pas mal au cœur en bateau, qu'elle n'a jamais de gras sur la figure, ni de bigoudis sur la tête, ni de baleines dans son soutien-gorge. Je l'aime parce qu'elle chante en me grattant le dos pendant des heures en me disant que je suis un athlète, que je suis beau, que je mesure 1m 80… Voilà !

Réalisé par Gérard Oury. Scénario, adaptation et dialogues de Danièle Thompson et Gérard Oury, avec la collaboration de Josy Eisenberg.

L'homme du 5 à 7...

Edwige Feuillère à Raymond Rouleau dans ***L'Honorable Catherine*** (1943).

Vous vivez, Monsieur, dans la dissipation, la luxure, le mensonge... Vous n'aimez pas, c'est trop long ! Non, vous désirez, ça va plus vite. Vos journées n'ont pas vingt-quatre heures mais deux car vous êtes du 5 à 7. Vous ne faîtes pas l'amour, vous tuez le temps !

Réalisé par Marcel Lherbier. Scénario, adaptation et dialogues de Jean-Georges Auriol, Marcel Lherbier, Solange Térac et Henri Jeanson.

Forme olympique !

Benoît Poelvoorde à Jean-Pierre Marielle dans ***Atomik Circus*** (2004).

Ha ! Ha ! mon vieux, tu verrais la pêche que j'ai ! J'ai l'impression de m'être enfilé un tuyau de coke. J'ai une patate ! C'est insolent. Hein ? Ouais, ouais, c'est ça, c'est le bon air, ouais, tu parles ! Tu verrais dans le bled où je suis tombé… Je suis tombé sur des gratinés, hein ! Ils ont une couche de flan dans la gueule, j'te raconte même pas !

Réalisé par les frères Poiraud. Scénario de Jean-Philippe Dugand, Didier Poiraud, Thierry Poiraud, Vincent Tavier, Marie Garel-Weiss, d'après l'univers imaginé de X90 et Didier Poiraud.

La vieillesse impitoyable

Simone Signoret à Jean Gabin dans ***Le Chat*** (1971).

— Je ne peux plus rester sans rien, alors je veux une bête, à moi.
— Ben t'as qu'à acheter un perroquet, comme ça vous parlerez ensemble et tu me foutras la paix !

Le « Profiteroleur »...

Michel Vuillermoz, Isabelle Carré et Guilaine Londez dans ***Quatre Étoiles*** (2006).

— Les profiteroles, c'est compris dans le menu ?
— Mais Marc, c'est moi qui invite ! *(Elle vient de toucher un héritage...)*
— Justement, j'ai envie de passer pour un « profiteroleur »... !
— *(Se foutant ouvertement de lui...)* Marc, c'est quoi ton secret ? Sexy, positif, drôle... Tout ça en même temps, comment tu fais ?

Un frère d'influence...

Marie-Anne Chazel à Gérard Jugnot dans ***Le Père Noël est une ordure*** (1982).

— Félix, si tu me frappes encore une fois, j'écris à mon frère à Marseille, il va venir t'égorger.
— Rien à foutre, c'est une gonzesse ton frère.
— N'empêche que quand il rapplique, tu chies dans ton froc !

Réalisé par Jean-Marie Poiré. Adaptation et dialogues de Jean-Marie Poiré, Josiane Balasko, Marie-Anne Chazel, Christian Clavier, Gérard Jugnot, Thierry Lhermitte et Bruno Moynot, d'après la pièce éponyme par l'équipe du Splendid.

La vérité en face...

Daniel Auteuil à Philippe du Janerand dans ***Mon Meilleur Ami*** (2006).

— Luc, on était les meilleurs amis du monde, t'as pas pu oublier ça !
— J'ai rien oublié, Coste. On était les pires ennemis du monde.
Je t'ai toujours considéré comme un sale con. Il n'y a pas que moi, personne dans la classe pouvait te blairer. À onze ans, t'étais un frimeur et un chieur. Je vois que t'as pas changé !

Réalisé par Patrice Leconte. Scénario de Patrice Leconte et Jérôme Tonnerre. Dialogues de Jérôme Tonnerre, sur une idée de Jérôme Tonnerre et Olivier Dazat.

Intermittente du spectacle...

Samuel Le Bihan à Lambert Wilson dans ***Jet Set*** (2000).

— C'est pas une actrice ?
— Oh, c'est méchant, ça ! Ex-actrice ! Vous savez qu'il y en a plein dans les soirées parisiennes ? On ne sait plus exactement dans quel film elles ont tourné, ni avec qui d'ailleurs... elles viennent ici pour se nourrir à l'œil, les pauvres...

Réalisé par Fabien Onteniente. Scénario de Fabien Onteniente. Adaptation et dialogues de Fabien Onteniente, Bruno Solo et Emmanuel de Brantes.

Fanny très en colère !

Fanny Ardant à Patrick Timsit dans ***Pédale douce*** (1996).

Dès qu'il y a quelque chose de beau entre deux êtres, il faut que tu foutes la merde, hein ? Au cas où ça risquerait de marcher ! Mais patauger dans la merde, finalement, t'as toujours aimé ça, hein ? C'est pour ça que t'es seul ! C'est pour ça que tu viens dans mon lit, où t'as rien à foutre ! T'es qu'un tue-l'amour. Tu seras jamais heureux ! Tu seras jamais rien !

Réalisé par Gabriel Aghion. Scénario de Gabriel Aghion. Adaptation de Gabriel Aghion et Patrick Timsit. Dialogues de Pierre Palmade.

Faut pas se forcer...

Aure Atika à Jean Dujardin dans ***OSS 117, Le Caire : nid d'espions*** (2006).

— Avant de partir, sale espion, fais-moi l'amour.
— Ah, je ne crois pas, non.
— Pourquoi ?
— Pas envie.

Réalisé par Michel Hazanavicius. Scénario de Jean-François Halin, d'après le roman éponyme de Jean Bruce. Adaptation et dialogues de Jean-François Halin et Michel Hazanavicius. © Mandarin Films/Gaumont/M6 Films.

Second degré ?

Jean-Paul Belmondo à Catherine Deneuve dans ***La Sirène du Mississippi*** (1969).

Vous êtes ni des femmes, ni des jeunes filles. Vous êtes des souris. Ce que vous êtes d'ailleurs, ça n'a pas de nom exact. Des écervelées avec la tête pleine d'idioties ou la tête vide. Vous êtes amoureuses de votre corps, vous pensez qu'à vous mettre au soleil, à brunir, vous passez des heures à vous trafiquer le visage. Vous pouvez pas passer devant une voiture en stationnement sans vous regarder dans le reflet du pare-brise.

Jealous guy ?

Jean Rochefort à Thierry Lhermitte dans ***Tango*** (1993).

— C'était bien ?
— Pardon ?
— Je vous demande si c'était bien. Je vous choque, c'est normal et je vous demande de m'en excuser, mais vous venez de baiser ma femme pendant six heures d'affilée, alors je vous demande si c'était bien, ça aussi c'est normal.

I love me

Charlotte Rampling à Philippe Noiret dans ***Un Taxi mauve*** (1976).

— Alors vous n'êtes pas revenue pour aider votre frère.
— Ne faites pas semblant de ne rien comprendre.
— Est-ce que vous essayez de me faire comprendre que vous m'aimez ?
— Je vous en prie, ne vous flattez pas, la seule personne que j'aime, c'est moi.

Réalisé par Yves Boisset. Scénario et dialogues de Michel Déon et Yves Boisset, d'après l'œuvre de Michel Déon.

La peur n'évite pas le danger...

« Le fumeur de pipe » à Julien Carette dans ***La Grande Illusion*** (1937).

— Maintenant qu'on a sa chance de filer, de regagner le pays, j'ai peur de ce qui m'attend.
— Ben alors, y'a pas qu'une femme au monde.
— Moi j'en ai qu'une.
— C'est pour ça que t'es cocu.

Réalisé par Jean Renoir. Scénario et dialogues de Charles Spaak et Jean Renoir. © Studiocanal Image.

Cassée !

Jean Dujardin à Karine Lebris dans ***Brice de Nice*** (2005).

— Qu'est-ce qui se passe là ho ! Mimie t'es toute moche. Qu'est-ce qu'il y a ?
— C'est Christophe.
— Quoi Christophe ?
— Je crois qu'il m'aime plus.
— Tu te fais des idées, hoooo ! Arrête, Christophe, il… il t'a jamais aimée. J'tai cassée !

Réalisé par James Huth. Scénario de Karine Angeli, Jean Dujardin et James Huth, d'après une idée originale de Jean Dujardin.

À chacun ses cols !

Gérard Depardieu à Patrick Dewaere dans ***Les Valseuses*** (1974).

(Patrick Dewaere fait l'amour à Miou-Miou sous les yeux de Gérard Depardieu…)

Prends ton temps. Négocie ! *(Dewaere s'arrête, Miou-Miou bâille.)* Ben dis donc, jolie performance : trois minutes et demie. Tu parles d'un sprinter ! C'est tout juste si t'arrives pas avant d'être parti… Comment veux-tu qu'elle aille au bonheur la môme !

Réalisé par Bertrand Blier. Scénario de Philippe Dumarçay et Bertrand Blier, d'après son roman.

Le recul du clergé

Deux figurants déguisés en ecclésiastiques dans un bordel dans ***Il ne faut jurer de rien !*** (2005).

— Je me retire pour prier.
— Oui bien sûr, retirez-vous, c'est ce que vous faites le mieux !

Réalisé par Éric Civanyan. Scénario et dialogues de Philippe Cabot et Éric Civanyan, d'après l'œuvre d'Alfred de Musset.

Le héros est fatigué

Jane à Tarzoon dans ***Tarzoon, La Honte de la jungle*** (1975).

Alors ça y est, t'as fini ? Je suppose que t'en as au moins pour trois mois avant de te resservir de ton chewing-gum. T'es pitoyable, j'aurais plus de plaisir avec un pistolet à eau. Où est-ce que t'as appris à baiser, dans un cours par correspondance ? Impuissant ! Mais qu'est-ce qu'il te faut pour bander, un plâtre ? T'es qu'un pauvre refoulé. Rien qu'à voir la taille de ta queue, on dirait que t'as été élevé par des hamsters !

Very jealous girl

Thierry Lhermitte à Claire Keim dans ***Le Roman de Lulu*** (2001).

— Je te rappelle que je l'ai connue il y a longtemps, c'était avant.
— Je me fous de quand c'était. C'était, c'est tout. Maintenant, si elle rappelle je la tue.
— Par téléphone ?
— Par où je veux ! J'apprends le cri qui tue et je la tue par téléphone. Je l'ai vu faire à la télé, ça marche.

Réalisé par Pierre-Olivier Scotto. Scénario et dialogues de David Decca, d'après sa pièce.

Des flics pas de la mondaine...

Richard Berry et Christophe Malavoy à Nathalie Baye dans ***La Balance*** (1982).

— Danet. Nicole. 29 août 52. Trente ans ! 7, rue Barbey-de-Jouy. Pas de julot ?
— Les julots ? Ça existe encore ? Vous vous trompez de quartier.
— Pas de mac ? Ça ne m'étonne pas, elle a une gueule de lesbienne !
— Encore un flic misogyne…
— Bon, écoute…
— On se tutoie ? On n'a jamais travaillé dans le même bordel ensemble, que je sache !

Le bon conseil

Carla à Guillaume Depardieu dans ***Célibataires*** (2006).

— Depuis combien de temps tu m'as pas touchée ?
— Trente-deux jours.
— Tu le sais ?
— Non, enfin si, si. Mais faut me comprendre, j'avais trop de pression au boulot, mais ça va changer…
— Non, c'est trop tard. Je suis devenue ta bonne copine, achète-toi un hamster, franchement ça prend moins de place.

089

Visite de courtoisie...

Karen Bach au réceptionniste dans ***Baise-moi*** (2000).

— J'aurais voulu connaître le numéro de la chambre de Francis Godeau, s'il vous plaît.
— Ouais, c'est la numéro 26, deuxième étage.
— D'accord.
— Euh, excusez-moi, mais il a payé pour une seule personne.
— T'inquiète, je passe juste pour la pipe du soir. Je reste pas !

Écrit et réalisé par Virginie Despentes et Coralie Trin Tih. © Canal+/Pan européenne production/Take One/Toute première fois.

Contrainte par corps imminente…

Christophe Malavoy à François Cluzet dans ***Association de malfaiteurs*** (1987).

— Un kidnapping, c'est les assises, imbécile.
— Et t'as trouvé une autre solution, toi, pour qu'il retire sa plainte cet enfoiré ?
— Puisque je te dis que c'est ma copine flic qui est sur le coup.
— Tu baises un flic et tu crois que tu baises la police, toi ! Oh ! qu'est-ce que tu fais ?
— Je vais dîner et baiser la police, comme tu dis. Mais je sais pas encore dans quel ordre !

Réalisé par Claude Zidi. Scénario et adaptation de Michel Fabre, Simon Michael et Claude Zidi, d'après une idée originale de Claude Zidi. Dialogues de Didier Kaminka.

Définitif

Jean Gabin dans ***Le Pacha*** (1968).

Tout le monde parle d'infarctus, de cirrhose, de cancer, mais moi je dis que la pire maladie des hommes, c'est de donner tout son amour à une seule bonne femme !

Réalisé par Georges Lautner. Adaptation de Michel Audiard et Georges Lautner, d'après le roman de Jean Laborde *Pouce*. Dialogues de Michel Audiard.

Brève de comptoir

Robert Dalban dans ***Un Idiot à Paris*** (1967).

J'suis ancien combattant, militant socialiste et bistro. C'est te dire si dans ma vie j'ai entendu des conneries !

Réalisé par Serge Korber. Adaptation de Michel Audiard, Jean Vermorel et Serge Korber, d'après l'œuvre de René Fallet. Dialogues de Michel Audiard.

Quoi, ma gueule ?

Raimu à Fernandel dans ***Les Rois du sport*** (1937).

— Non, cette course d'autos, je ne la courrai pas. Je ne veux pas être défiguré !
— Défiguré ? Avec une figure comme la tienne, tu ne risques rien, tu sais.

Réalisé par Pierre Colombier. Scénario de Jean Guitton. Dialogues d'Henri Jeanson.

Mort sur le Nil

Marie Bunel à Gérard Depardieu dans ***Bellamy*** (2009).

— La maison de mon enfance, je commence à en avoir fait le tour. La croisière en Égypte… Ça nous changerait…
— Enfermés trois semaines avec des trous du cul… Tu veux me faire crever, dis-le tout de suite !

Réalisé par Claude Chabrol. Scénario, adaptation et dialogues d'Odile Barski et Claude Chabrol.

Minimum 3 000 volts !

Jacques Villeret et Michel Constantin à Marie Laforêt dans ***Les Morfalous*** (1984).

— Mais qu'est-ce qui s'est passé ?
— Ben, il a dû pisser sur la ligne à haute tension. Point final.
— Vous savez madame, ça s'est passé tellement vite. Il n'a pas dû souffrir du tout… du tout.
— C'est bien la première fois qu'il fait des étincelles avec sa bite !

Réalisé par Henri Verneuil. Scénario et adaptation de Michel Audiard, Henri Verneuil et Pierre Siniac, d'après son roman. Dialogues de Michel Audiard.

Goûts cosmopolites

Christian Clavier à Thierry Lhermitte dans ***Les Bronzés*** (1978).

— La petite hôtesse, elle est maquée ?
— Ouais, elle est avec moi.
— Et sa copine, la frisée ?
— Elle est maquée aussi avec moi.
— Ah bon… Y'a quel pourcentage de filles pour un mec ?
— Ben… Ça dépend des mecs ça !

Réalisé par Patrice Leconte. Scénario de l'équipe du Splendid et Patrice Leconte.

Un avenir radieux...

Mireille Darc à Anouk Ferjac dans ***Fleur d'oseille*** (1967).

— Je ne ferai pas de petits trous à la station Arts et Métiers ! Je connais les raccourcis, j'ai choisi le caviar !
— Malheureusement, le caviar n'est pas une solution.
— La merde non plus !

Réalisé par Georges Lautner. Scénario de Michel Audiard, Marcel Jullian, Georges Lautner et Jean Meckert, d'après le roman de John Amila *Langes radieux*. Dialogues de Michel Audiard.

Le spécialiste

Anne Brochet à Fabrice Luchini dans ***Confidences trop intimes*** (2004).

(Fabrice Luchini confie une rencontre bouleversante à son ex-femme…)

— Elle est jolie ?
— En fait, tout en parlant, elle s'est mise à pleurer, et ça m'a…
— Ça t'a bouleversé… Vous avez parlé de quoi ?
— On a parlé de son problème de couple.
(Rires.)
— Ah ! Eh ben, elle est tombée sur un spécialiste !

Réalisé par Patrice Leconte. Scénario et dialogues de Jérôme Tonnerre. Adaptation de Jérôme Tonnerre et Patrice Leconte.

Folles bourgeoises...

Danièle Darrieux dans ***Le Désordre et la Nuit*** (1958).

C'est avec les bonnes bourgeoises qu'on fait les meilleures grues. Tous les hommes savent ça !

Réalisé par Gilles Grangier. Scénario de Michel Audiard, Gilles Grangier et Jacques Robert, d'après son roman. Dialogues de Michel Audiard.

Nostalgie, quand tu nous tiens...

Bernard Blier dans ***Cent mille dollars au soleil*** (1964).

Je tombe sur un petit ingénieur des pétroles avec sa Land Rover en rideau. *(Nostalgique et attendri…)* Il avait sa bonne femme avec lui, une grande blonde avec des yeux qui avaient l'air de rêver, puis un sourire d'enfant…
Une salope, quoi !

Réalisé par Henri Verneuil. Scénario de Marcel Jullian, Michel Audiard et Henri Verneuil, d'après le roman de Claude Veillot *Nous n'irons pas au Nigeria*. Dialogues de Michel Audiard. Société nouvelle des établissement Gaumont/ Trianon productions/Ultra Films.

Dépressive mais lucide...

Alain Chabat à Agnès Jaoui dans ***Le Cousin*** (1997).

— T'es pas au lycée ?
— J'ai pris mon après-midi, je suis fatiguée. Et puis, les élèves, moins ils me voient, mieux ils se portent. Moi aussi d'ailleurs.
— Arrête avec ça !
— Mon pauvre Gérard. Moi au moins je sais que je ne sers à rien.

Réalisé par Alain Corneau. Scénario et dialogues d'Alain Corneau et Michel Alexandre.

Suicide, mode d'emploi

Pierre Richard à Gérard Depardieu dans ***Les Compères*** (1983).

(Pierre Richard, parlant de son adolescent de fils…)

— Il a tenté de se suicider !
— Quel con !
— Oh ! non, vous pouvez pas comprendre.
Sale tempérament, ça, il est comme moi. J'ai commencé à me suicider à son âge !
— Vous n'êtes pas très doué, dites donc !

Un homme très protecteur...

Sandrine Kiberlain à Jean-Pierre Daroussin dans ***C'est le bouquet !*** (2002).

— J'ai jeté le bout de plastique qui protégeait un protège-slip !
— On croit rêver ! Tu mets un slip pour te protéger le cul de ton pantalon. Tu protèges le slip avec un protège-slip et il faut encore que tu protèges le protège-slip avec du plastique ! M'étonne pas qu'on vive des catastrophes !

Réalisé par Jeanne Labrune. Scénario de Jeanne Labrune et Richard Debuisne.

Vieille, moche et pauvre...

Annie Girardot à Jean-Pierre Marielle dans ***Cause toujours tu m'intéresses...*** (1979).

(Le téléphone sonne. Annie Girardot décroche, sachant que c'est un inconnu qui insiste...)

— Écoutez, j'ai dépassé la quarantaine. Je suis assez moyenne physiquement et je crois que je suis à découvert à ma banque. Voilà ce que vous avez... pêché par erreur. Alors, à votre place, je retirerais ça de ma ligne, et je le remettrais à l'eau. Vous êtes toujours là ?
— Non, je ne suis plus là, j'ai raccroché. Je suis en train de faire un autre numéro pour en pêcher une plus belle, plus jeune et plus riche !

Réalisé par Édouard Molinaro. Adaptation et dialogues de Francis Veber, d'après le roman de Peter Marks *Hang ups*.

Merci de vos encouragements !

Claude Perron à Albert Dupontel dans ***Le Créateur*** (1999).

Écrivez, bordel ! Et j'en ferai quelque chose. Et même si votre pièce est pas terrible, elle sera quand même bien. Et vous savez pourquoi ? Parce que les pièces des autres seront pires. C'est la médiocrité des autres qui va vous donner du talent !

À chacun sa description...

Benoît Poelvoorde à un coureur du Dakar dans ***Le Boulet*** (2001).

(Benoît Poelvoorde est à la recherche de Rossy de Palma, sa femme...)

— Je cherche Pauline Reggio.
— Qui ça ?
— Pauline Reggio. Elle fait partie du service médical.
— Vous êtes sûr ?
— Ah ! oui, je suis sûr. C'est une grande, comme ça, type espagnol avec un assez beau visage...
— Celle qui a une bouche à bites et un grand blair ?

Réalisé par Alain Berberian et Frédéric Forestier. Scénario, adaptation et dialogues de Matt Alexander et Thomas Langmann.

Biologique ou adoptif ?

Raimu à Pierre Fresnay dans ***Fanny*** (1932).

(César, parlant à Marius de son enfant adopté par Panisse…)

— Non Marius, cet enfant tu ne l'as pas voulu. Ce que tu as voulu, c'est ton plaisir. La vie, tu ne la lui as pas donnée, il te l'a prise. Ce n'est pas pareil…
— Mais nom de Dieu, qui c'est le père ? Celui qui a donné la vie ou celui qui a payé les biberons ?
— Le père, c'est celui qui aime !

Réalisé par Marc Allégret. Scénario et dialogues de Marcel Pagnol, d'après son œuvre.

Quel veinard ce Bernard !

Didier Bénureau à Myriam Boyer dans ***Trop belle pour toi*** (1989).

(Parlant à sa femme de Gérard Depardieu qui vient de se marier avec Carole Bouquet…)

— Quel veinard ce Bernard !
— Comment ça : “Quel veinard !” ?
— Comment ça : “Quel veinard !” ? Mais sa femme, putain ! Sa femme !
— Ben merci…
— Eh ben ce soir, je le dis, et tant pis pour la suite. Oui, elle me fait bander !

Tu te laisses aller !

Simone Signoret à Jean Gabin dans ***Le Chat*** (1971).

— Alors voilà, le typographe à la retraite qui se prend pour Zola ! L'anar petit-bourgeois qui n'aime plus que son gros minou. Miaou ! Miaou ! Miaoooooou !
— Si tu voyais ta gueule, t'es pas belle à voir. Tu dégringoles de plus en plus tous les jours…

Réalisé par Pierre Granier-Deferre. Adaptation de Pierre Granier-Deferre et Pascal Jardin, d'après le roman de Georges Simenon. Dialogues de Pascal Jardin.

Et vlan !

Daniel Auteuil à Fanny Ardant dans ***Le Paltoquet*** (1986).

— Je vous aime.
— Déjà les lieux communs !

Écrit et réalisé par Michel Deville. Adaptation de Michel Deville d'après le roman de Franz-Rudolf Falk *On a tué pendant l'escale*.

TON gosse !

Michèle Bernier à Georges Beller dans ***Vive les femmes !*** (1984).

Oui, je sais, j'ai les seins qui tombent, j'ai deux vergetures, parce que j'ai fait TON gosse ! C'est facile pour ta putain d'être plus belle que moi, moi aussi j'en aurais des beaux petits seins si j'avais pas fait TON gosse !

Réalisé par Claude Confortès. Adaptation de Claude Confortès, d'après l'album de Reiser. Dialogues de Reiser.

Proposition indécente

José Garcia à Marianne Denicourt dans ***Quelqu'un de bien*** (2002).

Alors Marie, qu'est-ce qu'on fait tous les deux ? On se tutoie ? On se vouvoie ? On s'encule ?
(Il prend une baffe…) Bon, ça c'est fait. Sinon on se tutoie ?

Réalisé par Patrick Timsit. Scénario de Jean-François Halin, Jean-Carol Larrivé et Patrick Timsit.

Elle adoucit les mœurs, non ?

Thierry Lhermitte à Delphine Quentin dans ***Le Zèbre*** (1992).

— Vous vous mariez à l'église ?
— Évidemment.
— Vous avez raison, il faut bien qu'elle vive. Et puis… tant qu'à faire une connerie, autant la faire en musique !

Réalisé par Jean Poiret. Scénario et dialogues de Jean Poiret. Adaptation de Jean Poiret et Martin Lamotte, d'après l'œuvre d'Alexandre Jardin.

Le curé passe confesse

Wojciech Pszoniak à Catherine Frot dans ***Vipère au poing*** (2004).

(Catherine Frot signifie son congé au précepteur...)

Madame Folcoche… Ah ! c'est vrai ! Vous ne connaissez pas le surnom que vos pauvres enfants vous ont donné... Eh bien, mon départ vous l'aura appris. Folcoche : folle et cochonne, en abrégé !

Réalisé par Philippe de Broca. Scénario, adaptation et dialogues de Philippe de Broca et Olga Vincent, d'après l'œuvre d'Hervé Bazin.

Franchise totale

Sam Karmann à Jean-Pierre Daroussin et Jean-Pierre Bacri dans ***Cuisine et Dépendances*** (1993).

— Dis donc, ta femme si je peux me permettre, euh… quel… quel morceau ! Elle a l'air gentille, elle fait quoi ?
— C'est une pute…
— Ah ! très bien, c'est exactement ce que je pensais.

Réalisé par Philippe Muyl. Adaptation de Jean-Pierre Bacri, Agnès Jaoui et Philippe Muyl. Scénario et dialogues de Jean-Pierre Bacri et Agnès Jaoui, d'après leur pièce.

Do not disturb

Fanny Ardant à propos de Richard Berry dans ***Pédale douce*** (1996).

Monsieur Agut est occupé. Il trompe sa femme. Rappelez-le dans cinq minutes !

Réalisé par Gabriel Aghion. Scénario de Gabriel Aghion. Adaptation de Gabriel Aghion et Patrick Timsit. Dialogues de Pierre Palmade.

Les arpèges qui tuent l'amour…

Bernard Blier dans ***Buffet froid*** (1979).

Elle passait son temps à faire des gammes ! À ce moment-là j'étais jeune inspecteur, je me tapais tout le sale boulot : les passages à tabac, les interrogatoires toute la journée… Le soir, je rentrais du commissariat vanné, et elle, elle m'accueillait avec des gammes, toujours des gammes ! Pas moyen de se reposer cinq minutes ! Alors un jour j'ai branché son violon sur le 220, et puis voilà !

Maintenant ou jamais…

Zinedine Soualem à Karim Belkhadra dans ***JCVD*** (2008).

L'autre abruti, c'est ton pote, c'est pas le mien. C'est ta responsabilité. Alors, maintenant, si tu veux continuer à jouer au grand chef et donner des ordres, t'as intérêt à te laisser pousser les couilles dans la seconde !

Réalisé par Mabrouk El Mechri. Scénario et dialogues de Mabrouk El Mechri et Christophe Turpin avec la collaboration de Frédéric Benudis, d'après une idée originale de Vincent Ravalec.

Experte en literie

Coluche à Isabelle Huppert dans ***La Femme de mon pote*** (1983).

— Tu pourrais m'expliquer ce que tu fabriques dans ce plumard ?
— Moi ? Je me suis fait draguer…
— Et ça t'arrive souvent ?
— Ben oui, quand les mecs sont gentils…
— Ouais. Dis donc, tu dois en connaître un rayon sur la matelasserie française !

Cauchemar militaire

Dora Doll à Jean Rochefort dans ***Calmos*** (1976).

Écoute-moi bien Albert. Quand je te chopperai, tu feras pas long feu, c'est moi qui te le dis ! Trouble ou pas trouble, tu décalotteras. Le doigt, la trique et crac ! À mon drapeau et rigide, sinon c'est la gégène ! Les électrodes au cul, mon petit père. Très érogène le trou du cul ! Et pas d'éjaculation précoce avec moi, on me l'a trop fait ce coup-là. Tu m'attendras !

Réalisé par Bertrand Blier. Scénario et dialogues de Philippe Dumarçay et Bertrand Blier.

Indolore !

Thierry Lhermitte à Anémone dans ***Le Père Noël est une ordure*** (1982).

(Pierre, après avoir abusé de Thérèse sous la douche…)

— Je suis navré Thérèse ! Je ne sais pas ce qui m'a pris, c'est une catastrophe…
— Non, ce n'est pas grave Pierre. Je n'ai rien senti !

Réalisé par Jean-Marie Poiré. Adaptation et dialogues de Jean-Marie Poiré, Josiane Balasko, Marie-Anne Chazel, Christian Clavier, Gérard Jugnot, Thierry Lhermitte et Bruno Moynot, d'après la pièce de l'équipe du Splendid.

Inspecteur gastronome

Tchéky Karyo dans ***Dobermann*** (1997).

Le voyou, c'est comme le gibier, faut que la viande pourrisse un peu pour qu'elle soit bonne !

Réalisé par Jan Kounen. Scénario et dialogues de Joël Houssin, d'après sa série *Le Dobermann*.

Non Pierre, pas papa !

Thierry Lhermitte à Edgar Givry dans ***Le Dîner de cons*** (1998).

— Tu me vois invitant le père de mon meilleur ami à un dîner de cons ?
— Oui.
— Tu me prends vraiment pour un salaud !
— Oui !

Gabrielle, ton amour étrangle ma vie !

Johnny Hallyday à Barbara Schulz dans ***Jean-Philippe*** (2006).

— Je te l'ai déjà dit hier soir, on a passé une nuit ensemble, mais il ne faut pas que tu t'imagines quoi que ce soit.
— Si je comprends bien, je fais partie de ton programme « une nuit, un coup » ?
— Mais quel programme ?
— T'es bien un mec, toi. Quand il s'agit de s'engager, une vraie gonzesse !

Réalisé par Laurent Tuel. Scénario et dialogues de Christophe Turpin. Adaptation de Christophe Turpin et Laurent Tuel.

Fallait que ça sorte !

Emmanuelle Béart à Michel Serrault dans ***Nelly et Monsieur Arnaud*** (1995).

Vous m'emmerdez ! Vous vous plaignez de tout. De moi, de votre bouquin qui est pas assez bien, de votre femme, et je comprends qu'elle se soit tirée ! De vos enfants qui vous fuient, mais je suis pas une poubelle, je suis pas là pour écouter les lamentations d'un vieux con !

Réalisé par Claude Sautet. Dialogues de Claude Sautet et Jacques Fieschi avec la collaboration d'Yves Ulmann.

Charmante attention

Tsilla Chelton à Neige Dolsky dans ***Tatie Danielle*** (1990).

— Je suis patraque aujourd'hui.
— Pensez-vous, vous êtes en pleine forme.
Je mourrai avant vous.
— Mais j'espère bien !

Réalisé par Étienne Chatiliez. Scénario et dialogues de Florence Quentin. Adaptation Florence Quentin et Étienne Chatiliez.

Déduction féminine implacable...

Catherine Wilkening à Marc Lavoine dans ***Le Cœur des hommes*** (2003).

— Elle était bonne ? La pétasse que t'as baisée aujourd'hui !
— De quoi tu parles ?
— Tu me prends vraiment pour une conne. Tu crois que je vois rien, que je sens rien. Quand tu me fais l'amour comme ça, que ça dure aussi longtemps, je sais que tu l'as déjà fait ailleurs !

Adieu Bertrand !

Sophie Marceau à Vincent Pérez dans ***Je reste !*** (2003).

— Moi, j'en ai marre de tes habitudes. J'en ai marre de l'agneau, du Saint-Émilion, de Jacques Brel en boucle. J'en ai marre de faire la voiture-balai tous les week-ends, de recevoir des leçons, de faire les valises, de me faire humilier. J'en ai marre de m'emmerder comme un rat mort, j'en ai marre de tout ! Alors ton sandwich, t'as intérêt à en profiter parce qu'en ce qui me concerne, c'est le dernier.
— Arrête de te donner en spectacle… Qu'est-ce que t'as à être hystérique ? T'as tes règles ou quoi ?
— Non, j'ai pas mes règles et je suis pas hystérique ! Je m'en fous des autres, je crois que t'as pas bien compris Bertrand. Je te quitte !

Réalisé par Diane Kurys. Écrit par Florence Quentin.

Vacances parisiennes…

Alain Souchon à Isabelle Adjani dans ***L'Été meurtrier*** (1983).

— Qu'est-ce que vous pariez que je vous emmène en voyage, un de ces jours ?
— Ah oui ? Où ça ?
— Je sais pas, n'importe où !
— D'accord. À Nice ? À Paris peut-être ? Dans une chambre de merde, où vous pourrez me tringler tant que vous voulez, parce que c'est ça que vous voulez, non ?

Réalisé par Jean Becker. Adaptation et dialogues de Sébastien Japrisot, d'après son roman.

JH recherche appartement ?

Benoît Magimel à Laura Smet dans ***La Demoiselle d'honneur*** (2004).

— Non, mais t'habites vraiment ici ?
— Pourquoi ?
— Je sais pas… ça pue le renfermé. Enfin, ça ressemble pas tellement à un appartement de fille, quoi.
— Ça veut dire quoi, ça ? Y'a des appartements de filles et des appartements de mecs ? Y'a peut-être des appartements de cons aussi !

Réalisé par Claude Chabrol. Scénario, adaptation et dialogues de Pierre Leccia et Claude Chabrol, d'après l'œuvre de Ruth Rendell.

Le bout du tunnel !

Roland Blanche dans ***Bernie*** (1996).

Je vais tellement t'enculer que quand tu bâilleras on verra le jour !

Réalisé par Albert Dupontel. Scénario d'Albert Dupontel et Gilles Laurent. Dialogues d'Albert Dupontel.

Belle mais folle

Bernard Fresson dans ***Les Galettes de Pont-Aven*** (1975).

Ah ! quand les femmes se mettent à être des salopes, ça vaut vraiment le jus, hein ! Et là, je crois que j'ai tiré le bon numéro. Elle a un beau fion, mais c'est une givrée !

Le gros lot

Jean Yanne à Titoff dans ***Gomez et Tavarès*** (2003).

— T'as encore été jouer hier soir ?
— Je t'assure, j'étais au top, la baraka ! Les cartes en main, un vrai seigneur. Même les croupiers étaient au garde-à-vous. Tu vois ce que je veux dire tonton ?
— Ce que je vois, c'est que la seule chose que t'as réussi à ramener du casino, c'est une pétasse !

Réalisé par Gilles Paquet-Brenner. Scénario et dialogues de Renaud Bendavid et Gilles Paquet-Brenner.

Ça coûte cher l'argent ?

Lambert Wilson dans ***Jet Set*** (2000).

Ce n'est pas qu'on méprise les gens qui n'ont pas d'argent, c'est qu'on ne comprend pas pourquoi ils n'en ont pas… Ils n'ont qu'à en acheter !

Réalisé par Fabien Onteniente. Scénario de Fabien Onteniente. Adaptation et dialogues de Fabien Onteniente, Bruno Solo et Emmanuel de Brantes.

Là, pas de discussion possible !

Guillaume Canet à Jean Yanne dans ***Je règle mon pas sur le pas de mon père*** (1999).

— Vous l'avez jamais su, mais vous avez eu un enfant avec Lucia Cavallo.
— Impossible monsieur, je ne pratique que la sodomie interrompue !

Réalisé par Rémi Waterhouse. Scénario de Rémi Waterhouse et Éric Vicaut. Adaptation et dialogues de Rémi Waterhouse.

Foule sentimentale...

Jean Dujardin dans ***99 francs*** (2005).

(Publicitaire cynique s'adressant aux consommateurs que nous sommes...)

J'ai passé ma vie à vous manipuler contre 75 000 francs par mois. Quand, à force d'économies, vous réussirez à vous payer la bagnole de vos rêves, je l'aurai déjà démodée !

Réalisé par Jan Kounen. Scénario et dialogues de Nicolas & Bruno. Adaptation de Jan Kounen avec la complicité de Frédéric Beigbeder, d'après son roman.

Chacun sa route...

Carey More à Pierre Richard dans ***Le Jumeau*** (1984).

— Tu veux rompre ?
— Et toi, qu'est-ce que tu veux, Liz ? On s'est sautés quatre/cinq fois, on s'est allumé soixante cigarettes, on a échangé une centaine de vacheries… Les meilleurs arrangements ont une fin !

Réalisé par Yves Robert. Adaptation et scénario d'Yves Robert et Élisabeth Rappeneau. Dialogues d'Yves Robert et Boris Bergman.

La morue et le thon...

Amélie Pick à Marie Fugain dans ***L'Homme idéal*** (1997).

(Marie Fugain vient de quitter ses trois amants...)

— Ben tu vois, c'était pas si difficile que ça. Alors maintenant tu les laisses se démerder entre eux.
— Oui, mais je suis une salope...
— Mais arrête... T'as vu comment ils me larguent, moi ? Tu crois qu'ils prennent des gants ?
— Oui, mais toi, c'est normal, t'es un thon !

Réalisé par Xavier Gélin. Scénario de Dominique Chaussois, Gilles Niego et Xavier Gélin. Adaptation et dialogues de Dominique Chaussois, Xavier Gélin et Pascal Légitimus.

Trahie !

Marion Cotillard dans ***Ma Vie en l'air*** (2005).

Le mariage, par exemple. Avec toutes ces belles promesses… Comment on peut jurer fidélité devant toute sa famille, ses amis, Dieu lui-même… Alors que ça fait des mois qu'on se tape en loucedé le témoin de sa propre femme ? MA meilleure amie. Cette salope qui se pavanait avec sa robe de… de salope !

L'âge ingrat

Jacques François à son rejeton dans ***Mes Meilleurs Copains*** (1989).

— Si tu continues sur cette pente, tu finiras comme un clochard drogué !
— C'est pas parce qu'on n'a pas envie de vivre une vie d'arracheur de dents bourgeois qu'on finit forcément comme un clochard !
— Je te rappelle que tu VIS aux frais de l'arracheur de dents !

Réalisé par Jean-Marie Poiré. Scénario, dialogues et adaptation de Jean-Marie Poiré et Christian Clavier.

Pas contrariant

François Berléand à Guillaume Canet dans ***Mon Idole*** (2002).

— Ce que je ne comprends pas, c'est qu'avec le talent que vous avez, vous soyez toujours le sbire de Letzger. Comment vous expliquez ça ?
— Ben… c'est lui la vedette.
— Et alors ? Ça lui donne le droit de vous insulter, de vous piquer vos idées ?
— Non, j'dis pas le contraire.
— Ben oui, mais c'est bien ça le problème, vous êtes pas du genre à dire le contraire !

Réalisé par Guillaume Canet. Scénario de Guillaume Canet et Philippe Lefebvre. Dialogues de Guillaume Canet, Philippe Lefebvre et Éric Naggar.

Économie de mots

Marianne Denicourt à Albert Dupontel dans ***Monique*** (2002).

— C'est quoi ce que tu lis ?
— Polar.
— Ah. *(Un long silence.)* Alex, est-ce que tu te rends compte qu'au fil des années tes phrases sont de plus en plus courtes ? *(Silence.)* Enfin, là, il ne reste plus qu'un mot, ça peut pas diminuer beaucoup.
— …
— Ah ! Si, ça peut...

Asia alias Violaine

Guillaume Canet à Asia Argento dans ***Les Morsures de l'aube*** (2001).

— C'est un joli nom Violaine…
— Vous trouvez ? Pourtant, dedans, il y a viol… et haine !

Réalisé par Antoine de Caunes. Scénario, adaptation et dialogues de Laurent Chalumeau, librement adapté de l'œuvre de Tonino Benacquista.

Cherche cheminée pour ramonage !

Thierry Lhermitte à Luis Rego dans ***Les Bronzés*** (1978).

— Tu t'es levé quelque chose ou quoi ? C'est qui que tu te fais ?
— Christiane. *(Dominique Lavanant.)*
— Oh ! le veinard ! Tu sais que ça doit bien tirer une grande cheminée comme ça !

Réalisé par Patrice Leconte. Scénario de l'équipe du Splendid et Patrice Leconte.

Il est cinq heures...

Christophe Lambert à Catherine Deneuve dans ***Paroles et Musique*** (1984).

(Comprenant qu'il doit disparaître avant que les enfants de sa maîtresse ne se réveillent...)

J'en ai marre d'être une poubelle. J'en ai marre d'être vidé tous les matins à cinq heures !

To protect and serve...

Didier Bourdon et Bernard Campan au chef de la police, Jean-Roger Milo, dans ***Le Pari*** (1997).

— Vous voyez ce que c'est le… le préservatif ?
— Ça sert à… à protéger… contrairement à la police.

Références culturelles

Fanny Ardant et Axelle Abbadie dans ***Pédale douce*** (1996).

— Aimer, c'est comprendre et accepter les vices de l'autre.
— Vous avez lu ça où ? Dans *Nous deux* ?

Réalisé par Gabriel Aghion. Scénario de Gabriel Aghion. Adaptation de Gabriel Aghion et Patrick Timsit. Dialogues de Pierre Palmade.

Insulte suprême… et définitive !

Jean Dujardin à Bérénice Bejo dans ***OSS 117, Le Caire : nid d'espions*** (2009).

— Larmina ?
— Te voilà fait comme un rat, OSS 117 !
— Comment avez-vous pu me trahir ainsi ? Je n'aurais jamais dû vous faire confiance. On ne devrait jamais faire confiance à une femme, d'ailleurs. Moi qui pensais même vous laisser faire l'amour avec moi…
— Faire l'amour avec toi ? Toi qui as voulu faire taire un muezzin parce qu'il t'empêchait de dormir… Je préférerais forniquer avec un porc un vendredi de ramadan !

Réalisé par Michel Hazanavicius. Scénario de Jean-François Halin, d'après l'œuvre de Jean Bruce. Adaptation et dialogues de Jean-François Halin et Michel Hazanavicius.

Bien dit messieurs !

Martine Carol dans ***Le Cave se rebiffe*** (1961).

Le patriarcat, c'est une question de compte en banque. L'autoritaire qui ne ramène pas de pognon à la crèche n'est qu'un emmerdeur prétentieux !

Réalisé par Gilles Grangier. Adaptation de Michel Audiard, Gilles Grangier et Albert Simonin, d'après son roman. Dialogues de Michel Audiard.

Question-réponse

Audrey Tautou à Benoît Poelvoorde dans ***Coco avant Chanel*** (2009).

— Quand je m'ennuie, je me sens très vieille.
— Et ce soir, vous avez quel âge ?
— Ce soir, j'ai mille ans !

Réalisé par Anne Fontaine. Scénario et dialogues de Camille Fontaine, Christopher Hampton et Anne Fontaine, d'après l'œuvre d'Edmonde Charles-Roux.

Fille à papa ?

Jean Gabin dans ***Rue des prairies*** (1959).

J'aime encore mieux que vous soyez l'amant de ma gamine que son mari. Parce que ça durera moins longtemps !

Réalisé par Denys de La Patellière. Scénario de Denys de La Patellière et Michel Audiard, d'après l'œuvre de René Lefèvre. Dialogues de Michel Audiard.

C’est de Gaulle qui l’avait dit

Claude Rich à Albert Dupontel dans ***Président*** (2006).

(Claude Rich s’adressant à Albert Dupontel, président de la République…)

Je ne sais pas qui a écrit ton discours, mais alors… Sans doute un normalien, on y comprenait rien du tout. N’oublie pas que tu parles à des veaux. Et les veaux, on les flatte…

Réalisé par Lionel Delplanque. Scénario et dialogues de Lionel Delplanque et Raphaëlle Meltz avec la participation de Agnès Caffin.

Pauvres s'abstenir !

Philippe Chevallier à Alice Evans dans ***Ma femme s'appelle Maurice*** (2002).

— Ici, c'est pas "blanc, cacahuètes et mousseux" : millésimé cuvée spéciale ! Le top du top, c'est pas dur, c'est ce qu'il y a de plus cher. Si je dis ça, moi tu me connais, c'est pas pour étaler mon pognon...
— Je préfère les gens qui étalent leur pognon… à ceux qui n'en ont pas !

Réalisé par Jean-Marie Poiré. Scénario et dialogues de Jean-Marie Poiré et Raffy Shart, d'après sa pièce.

Saisie imminente

Daniel Prévost à Dominique Guillo dans ***Les Insaisissables*** (2000).

— Vous apprendrez, messieurs, que les huissiers font partie du système judiciaire et qu'ils ont toujours le dernier mot.
— Les huissiers font partie de la cour comme les poils de mon cul font partie de mon corps !

Flower power

Michel Galabru à Paul Préboist, puis réponse de Charles Southwood dans ***Quelques messieurs trop tranquilles*** (1972).

— Mon cher Adrien, un hippie ne pense qu'aux fleurs, à l'amour et à la non-violence. "Faites l'amour pas la guerre", c'est votre slogan, n'est-ce pas ?
— Oui. Et si je foutais mon poing sur votre gueule ?
— C'est que vous n'êtes pas un vrai hippie...
— Non, c'est que vous êtes un vrai con !

Apparition souhaitée…

Philippe Noiret dans ***Pile ou face*** (1983).

La justice, c'est comme la Sainte Vierge, si on ne la voit pas de temps en temps, le doute s'installe !

Réalisé par Robert Enrico. Scénario de Marcel Jullian et Robert Enrico, d'après le roman d'Alfred Harris *Suivez le veuf*. Dialogues de Michel Audiard.

L'inventeur incompris

Benoît Poelvoorde à Christelle Cornil dans ***Le Vélo de Ghislain Lambert*** (2001).

(L'épouse de Benoît Poelvoorde met en doute les plans d'un vélo qu'il a dessiné et dont la roue avant est plus petite que la roue arrière...)

— Puis, d'abord, qu'est-ce que t'y connais au vélo, toi ? hein ? Moi, ça fait vingt ans que je suis dans la partie. Alors, s'il y a quelqu'un qui est qualifié pour savoir si oui ou non ce vélo va faire mal au dos, c'est moi, non ?
— Mais alors, me pose pas la question !
— J'te pose pas la question, j'te pose pas la question ! Je te montre, c'est tout.
— Oh ! là ! là !
— Oui, c'est ça ! Allez ! va dans ta cuisine, va, c'est encore là que t'es le mieux !

Réalisé par Philippe Harel. Scénario et dialogues de Philippe Harel, Benoît Poelvoorde et Olivier Dazat.

L'art de la nuance...

Benoît Poelvoorde à Guillaume Canet dans ***Narco*** (2004).

— Allez, viens ! On va fêter ça avec une petite mousse.
— Lenny, il est onze heures, quand même.
— Ouais, et alors ?
— Ben... je trouve quand même que tu bois un petit peu trop en ce moment.
— Eh, Gus, je bois pas. J'ai souvent soif, c'est pas pareil !

Réalisé par Christian Aurouet et Gilles Lellouche. Scénario et dialogues de Gilles Lellouche, d'après une idée originale d'Alain Attal et Philippe Lefebvre.

Sois belle et tais-toi !

Geneviève Casile dans ***Une Femme française*** (1995).

Ce sont les hommes qui décident les guerres, ce sont les hommes qui font la paix ! Nous, on n'est bonnes qu'à attendre. Et à se taire…

Réalisé par Régis Wargnier. Scénario original de Régis Wargnier. Adaptation et dialogues de Régis Wargnier et Alain Le Henry.

Quoi, mes méthodes ?

Christian Sinniger à Jean Reno dans ***Wasabi*** (2001).

— Vos méthodes Hubert !
— Qu'est-ce qu'elles ont, mes méthodes ?
— Elles ne sont pas légales ! On n'est pas au Far West, Hubert. Il y a un code civil en France et un manuel de police. Et en tant que policier, vous vous devez de respecter les deux !
— C'est en respectant les deux que j'ai perdu huit collègues en deux ans. Je vais les voir souvent. Ils apprécient les fleurs !

Réalisé par Gérard Krawczyk. Scénario de Luc Besson.

Divine Folcoche

Catherine Frot à Jules Sitruk dans ***Vipère au poing*** (2004).

(Parlant à son fils…)

— Tu me détestes, je le sais. Votre grand-mère et Miss Shilton ont bien fait les choses.
— C'est inexact, ma mère. Grand-mère ne parlait jamais de vous, et Miss Shilton nous ordonnait toujours de prier pour vous. Le matin et le soir. Vous vous êtes fait détester toute seule !

Réalisé par Philippe de Broca. Scénario, adaptation et dialogues de Philippe de Broca et Olga Vincent, d'après l'œuvre d'Hervé Bazin.

On a évité le pire !

Sarah-Laure Estragnat à May Alexandrov dans ***Hell*** (2006).

— J'courais après ce taxi avenue Montaigne et j'ai failli casser mon talon.
— Quoi le talon de tes Gucci ?
— Non, le talon de mon pied !
— Ah bon, tu m'as fait peur…

Conseil de famille

Yves Montand à Isabelle Adjani dans ***Tout feu tout flamme*** (1982).

(Montand parlant à sa fille...)

Tout ce que tu es, je le déteste. Tu es froide et tu n'as pas de cœur. Tu es comme de la glace. Dure et coupante. Tu es le contraire d'une femme !

Réalisé par Jean-Paul Rappeneau. Scénario de Joyce Buñuel, Élisabeth Rappeneau et Jean-Paul Rappeneau.

Les hommes préfèrent les...

David Kammenos, Alexandre Astier et Géraldine Nakache dans ***Comme t'y es belle !*** (2006).

(Dénigrant une fille de la famille...)

— Comme ça, un cul comme ça !
— T'es toujours un aussi gros con de macho, toi, hein !
— Mais voilà, ça y est, l'étiquette de macho.
— Mais quelle étiquette ?
— La mauvaise nouvelle, c'est qu'on est quand même un gros paquet de gros cons de machos à préférer des filles bien roulées aux gros thons.

Réalisé par Lisa Azuelos. Scénario de Lisa Azuelos avec la collaboration de Michaël Lellouche et Hervé Mimran.

Il est arabe, elle est juive… Ils s'aiment quand même !

Roschdy Zem à Cécile de France dans ***Mauvaise Foi*** (2006).

— Mon fils, il s'appellera Abdelkarim, comme mon père. Un point c'est tout.
— D'accord, c'est quoi la prochaine étape ? Je porte le voile ?

Réalisé par Roschdy Zem. Scénario Pascal Elbé et Roschdy Zem. Adaptation d'Agnès de Sacy.

166

Et marche à l'ombre...

Gérard Jugnot dans ***Le Quart d'heure américain*** (1982).

C'est facile de se moquer des gens qui partent.
Vous pouvez pas comprendre, des fois, on étouffe à Paris.
Alors la route, c'est comme une petite voix qui vous dit,
au fond, comme ça : "Viens, viens, lâche tout." Hein ?
Oui, enfin, moi, en l'occurrence, la voix, elle me disait
plutôt : "Casse-toi, on veut plus de toi !"

Réalisé par Philippe Galland. Scénario de Philippe Galland et Gérard Jugnot, d'après une idée originale de Philippe Galland, avec la participation de Jean-François Balmer.

Conseil d'ami

Gérard Lanvin dans ***3 Zéros*** (2002).

Alors un conseil… D'ailleurs, c'est pas un conseil, c'est un avis. À l'avenir, avant de faire ou de dire quoi que ce soit, laisse infuser davantage…

Réalisé par Fabien Onteniente. Scénario, adaptation et dialogues de Fabien Onteniente, Philippe Guillard et Emmanuel Booz.

Vie privée

Victor Lanoux à Claude Brasseur dans ***Nous irons tous au paradis*** (1977).

(Victor Lanoux, mari infidèle notoire, insinue des choses désobligeantes sur l'homosexualité de Claude Brasseur…)

— Si on commence avec la vie privée, moi, j'ai deux ou trois balançoires pour toi, si ça t'intéresse.
— Ah bon ? Lesquelles ?
— J'voudrais pas faire couler ton Rimmel !

Réalisé par Yves Robert. Scénario de Jean-Loup Dabadie et Yves Robert. Dialogues de Jean-Loup Dabadie.

Le curé sur la sellette

Françoise Rosay à André Raybaz dans ***Les Yeux de l'amour*** (1959).

En écoutant votre speech, monsieur l'abbé, j'ai failli me lever. En dessous de tout ! Dans notre littérature, ce ne sont tout de même pas les textes sacrés qui manquent : Bossuet, Bourdaloue… Pourquoi ne tapez-vous pas là-dedans au lieu d'égrener vos sornettes !

Réalisé par Denys de La Patellière. Scénario de Roland Laudenbach et Denys de La Patellière, d'après le roman de Jacques Antoine *Une histoire vraie*. Dialogues de Michel Audiard.

Premier contact encourageant...

Daisy Broom à Vincent Elbaz dans ***Tel père, telle fille*** (2007).

(Nancy, treize ans, déjeune avec son père, rocker has been et fauché, pour la première fois...)

— Maman m'a dit que t'étais un peu comme un clodo.
— Ah ouais... Ben y'a pas que la consommation tu vois, comme but dans la vie. La richesse, c'est pas qu'extérieur.
— Tu dis ça parce que t'es pauvre.
— Tu veux que j't'écrase la gueule dans tes frites ?

Réalisé par Olivier de Plas. Scénario de Bernard Jeanjean et Olivier de Plas, d'après le roman de Virginie Despentes *Teen Spirit*.

Fais-moi souffrir !

Clotilde Courau à Pierre-François Martin-Laval dans ***Modern Love*** (2008).

— Éric, stop ! Il te faut quelqu'un de tendre et d'attentionné. Moi, tout ce dont j'suis capable, c'est de te faire souffrir.
— Mais je m'en fous, fais-moi souffrir…
— D'accord. Tu me fatigues, c'est fini, casse-toi !

Critique assassine

Pascal Reneric à Pierre Poirot dans ***Les Parrains*** (2005).

(Pierre Poirot est directeur littéraire...)

— T'as commencé à lire mon manuscrit ?
— Oui... Le plus dur, je crois que ça va être d'arriver à le finir.
— Ah... t'as toujours eu des petits problèmes de concentration...
— Ta prose ayant le charme d'un catalogue de La Redoute, tu m'accorderas les circonstances atténuantes !

Réalisé par Frédéric Forestier. Scénario et dialogues d'Olivier Dazat, Matthieu Delaporte et Alexandre de La Patellière, d'après un scénario original de Claude Simeoni et Laurent Chalumeau.

Au suivant !

Emmanuelle Béart à Catherine Deneuve dans ***Mes Stars et Moi*** (2008).

(Une actrice à propos d'un fan très collant...)

— Il est partout, tout le temps. Moi, quand j'ouvre les yeux, le matin, j'ai peur de le retrouver dans mon lit !
— Faut dire qu'il y a du passage...

Icône

Josiane Balasko à Nathalie Baye dans ***Absolument fabuleux*** (2001).

(À propos de la chanteuse Chantal Goya…)

— Chantal a la simplicité des grandes idoles populaires. Les Piaf, les Barbara, les… les Dalida, toutes les…
— Toutes les… mortes.

Réalisé par Gabriel Aghion. Scénario, dialogues et adaptation de Gabriel Aghion, François-Olivier Bousseau et Rémi Waterhouse avec la participation de Pierre Palmade.

Attraction fatale

Charles Berling à Stanislas Merhar dans ***Nettoyage à sec*** (1997).

— Qu'est-ce qui te fait rire ?
— Tu me fais pas rire... Tu me fais bander.

Réalisé par Anne Fontaine. Scénario, adaptation et dialogues d'Anne Fontaine et Gilles Taurand. © Les Films Alain Sarde-Cinea/Maestranza Films.

Les dangers de la vieille littérature...

Fabrice Luchini à Anne Brochet dans ***Confidences trop intimes*** (2004).

— Jeanne, tu es jalouse...
— Et alors ?
— Quand je t'ai connue, tu avais des rêves et des ambitions. Tu voulais écrire des romans et tu te retrouves à classer des vieux bouquins dans cette bibliothèque ! Ben la poussière, ça t'a aigrie...

Réalisé par Patrice Leconte. Scénario et dialogues de Jérôme Tonnerre. Adaptation de Jérôme Tonnerre et Patrice Leconte.

En guise de préambule...

Catherine Deneuve à Alain Souchon dans ***Je vous aime*** (1980).

— C'est bien vous qui m'avez dit, "Allons prendre un verre dans un hôtel, on sera plus tranquilles pour parler". Non ? Alors parlons.
— C'était un prétexte. C'était parce que j'ai pas osé vous dire, "J'ai envie de vous prendre dans mes bras, allons dans un hôtel". C'était difficile à dire...
— Vous avez bien fait, j'aurais refusé !

Poignée de main morveuse...

Christian Clavier à Marie-Anne Chazel dans ***Les Visiteurs*** (1993).

— Merci la gueuse ! Tu es un laideron, mais tu es bien bonne !
— T'as pas vu ton pif, hé ! Quand tu te mouches, t'as pas l'impression de serrer la main à un pote ?

Irritations intimes…

Marina Foïs à Anne Benoît dans ***Darling*** (2007).

— Ça me brûle, j'ai attrapé des cloques en courant.
— Aux pieds ?
— … Non.
— C'est pourtant vrai qu'il est trop petit ce short !

Écrit et réalisé par Christine Carrière, d'après l'œuvre de Jean Teulé.

Tous nos vœux de bonheur !

Jean Dujardin dans ***Mariages !*** (2004).

Le mariage est comme une ville assiégée. Ceux qui sont dehors veulent y rentrer, et ceux qui sont dedans veulent en sortir. Proverbe chinois.

L’art délicat de la séduction…

Josiane Balasko à Sylvie Joly dans ***L’Auberge rouge*** (2007).

— Je me rends pas bien compte de l’effet que je fais aux hommes…
— Nous non plus !

Les compliments, c'est gratuit !

Jean Yanne à Marlène Jobert dans ***Nous ne vieillirons pas ensemble*** (1972).

Rien ne t'intéresse. Tout ce que t'es, c'est une fainéante, c'est tout. T'es une bonne fainéante, voilà. Tu laisses tomber tout, tout de suite. Ah ! si ! La seule chose qui te plaît, cover-girl. Ah ! voilà ! (*Il rit.*) Madame veut être cover-girl, avec le pif que t'as et tes taches de rousseur, hein ? T'es trop petite et t'es trop moche !

Dégage...

Thierry Neuvic à Anne Parillaud dans ***Tout pour plaire*** (2005).

— Bon, lundi, je vois le comptable. Normalement, cette année, je dégage du bénéfice.
— (*Ironique et avec mépris*) C'est ça. Dégage, mon chéri, dégage…

C.V prometteur...

Marion Cotillard à Guillaume Canet dans ***Jeux d'enfants*** (2003).

Aurélie Miller, une vraie tache. Elle a deux choses pour elle. Primo, elle a couché avec Igor, le prof de gym… et deuzio, elle a des boucles d'oreilles du délire. Voilà, tu la connais sous son meilleur jour !

Oups, la boulette !

Yvon Back à Julien Boisselier dans ***Les Portes de la gloire*** (2001).

— C'est elle ?
— Quoi ?
— Ta copine ?
— Oui.
— Tu lui greffes une paire de couilles, on dirait le patron, non ?
— Pardon ?
— Euh, j'veux dire, elle… elle ressemble vachement à son père, non ?

Réalisé par Christian Merret-Palmair. Scénario et dialogues de Pascal Lebrun, Christian Merret-Palmair et Benoît Poelvoorde.

Blonde à forte poitrine ?

Yves Jacques dans ***Les Invasions barbares*** (2003).

— C'est pas un problème d'âge. C'est parce que ses seins sont plus gros que son cerveau.
— Arrête !
— Non, mais c'est vrai ! La quantité de sang que ça prend simplement pour IRRIGUER tout ça, appauvrit forcément le cerveau…

Touché dans son orgueil de mâle !

Gérard Depardieu à Miou-Miou dans ***Les Valseuses*** (1974).

(Gérard Depardieu ne parvenant décidément pas à donner du plaisir à Miou-Miou…)

Je préfère aller pisser, au moins je sentirai quelque chose !

Réalisé par Bertrand Blier. Scénario de Philippe Dumarçay et Bertrand Blier, d'après son roman.

Et le respect des vieux, alors !

Antoinette Moya, agent immobilier à Albert Dupontel dans ***Bernie*** (1996).

— Alors, celui-ci fait 110 m^2, il est plein sud, calme, refait à neuf.
— Et peut-être s'il y a d'autres personnes, ça sera assez grand ?
— D'autres personnes ? Quel genre de personnes ?
— Ben, ça serait des gens comme vous.
— Des professions libérales ?
— Oh, non non, non non… Des vieux !

Réalisé par Albert Dupontel. Scénario de Albert Dupontel et Gilles Laurent. Dialogues de Albert Dupontel.

Refaites-moi ces seins que je ne saurais plus voir…

Béatrice Costantini à Gérard Lanvin dans ***Camping*** (2006).

— Ah ! Docteur !
— Madame de Brantes.
— J'ai un vrai problème avec le volume de ma poitrine. Regardez.
— Allons, bon, qu'est-ce qu'elle a, cette poitrine ? Elle est lourde, ferme, parfaitement en harmonie avec le reste. Moi, j'irai pas au-delà !
— Mais, un peu plus…
— Madame de Brantes, un bossu, vous lui enlevez les bras et les jambes, ça fait une madeleine ! Bonnes vacances, madame de Brantes…

Réalisé par Fabien Onteniente. Scénario et dialogues de Emmanuel Booz, Franck Dubosc, Philippe Guillard et Fabien Onteniente.

Vous dansez ?

Un dragueur à Marlène Jobert dans ***Le Bon et les Méchants*** (1975).

— Vous dansez ?
— Non merci, je ne fais pas les slows.
— Pourquoi ?
— Parce que j'aime pas ta gueule !

Écrit et réalisé par Claude Lelouch avec la collaboration aux dialogues de Pierre Uytterhoeven.

T'as dit « merdeuse » ?

Agnès Jaoui à Jean-Pierre Daroussin dans ***Un air de famille*** (1996).

— Denis, on va arrêter cette… chose-là, cette espèce de relation merdeuse à la petite semaine. On va arrêter tout ça. Ça changera pas grand-chose, mais ce sera clair au moins.
— Cette relation merdeuse tu dis ?
— C'est une image…
— Oui, c'est une image forte.
— Cette relation à la con, si tu préfères.
— Ben oui, à la limite je préfère.

Réalisé par Cédric Klapisch. Scénario et dialogues d'Agnès Jaoui, Jean-Pierre Bacri et Cédric Klapisch.

Cœur de... pierre

Henri Vidal à Darry Cowl dans ***Sois belle et tais-toi*** (1958).

Tu vois *(les pierres précieuses)*, c'est comme les femmes, à première vue, c'est très difficile de faire la différence entre la bonne marchandise et le toc.

Réalisé par Marc Allégret. Scénario de William Benjamin et Marc Allégret. Adaptation de Marc Allégret, Odette Joyeux, Gabriel Arout, Jean Marsan, Roger Vadim. Dialogues de Jean Marsan.

Choucroute garnie ?

André Pousse à Dany Carrel dans ***Le Pacha*** (1968).

— J'ai des envies de voyages. L'Océanie, Bora Bora, les Vahinés… Tu connais ?
— Pourquoi, tu veux m'emmener ?
— On n'emmène pas des saucisses quand on va à Francfort.
— Tu pourrais dire : "une rose quand on va sur la Loire" !

Réalisé par Georges Lautner. Adaptation de Michel Audiard et Georges Lautner, d'après le roman de Jean Laborde *Pouce*. Dialogues de Michel Audiard.

L'imbécile heureux...

Jean Desailly à Pierre Larquey dans ***Carré de valets*** (1947).

— Enfin, vous êtes plutôt intelligent...
— Ça je ne sais pas... Je ne me suis jamais servi de mon intelligence, j'étais fonctionnaire !

Réalisé par André Berthomieu. Scénario de Georges Dolley et André Berthomieu, d'après une idée de Jean Gheret. Dialogues d'Henri Jeanson.

Femme comblée ?

Thierry Lhermitte à Josiane Balasko dans ***Les Bronzés*** (1978).

— Je vais te dire un truc qui va te faire plaisir, toi.
— Ouais ?
— Ouais. Tu vois, je me suis niqué plus de quatre-vingts gonzesses depuis le début de la saison… Sans te flatter, j'ai l'impression que tu vas être dans les… dix, quinze premières, toi !

Comme un appartement témoin...

Lucienne Bogaert à Jean Gabin dans ***Maigret tend un piège*** (1958).

— Vous connaissez la caissière ?
— Non.
— Vous ne perdez rien. Une couche partout, une garce pour qui tous les hommes sont bons.
[...] En fin de compte, ces femmes-là trouvent toujours preneur. Tout le monde visite, et un imbécile finit par acheter !

Réalisé par Jean Delannoy. Scénario de Michel Audiard, Rodolphe-Marie Arlaud et Jean Delannoy, d'après le roman de Georges Simenon. Dialogues de Michel Audiard.

Solidarité féminine

Jane Birkin à Évelyne Buyle dans ***Comment réussir quand on est con et pleurnichard*** (1974).

— D'accord ! Puisque monsieur aime les putes, je vais me faire une tête de pute !
— Ah ben, changez surtout rien…

Réalisé par Michel Audiard. Scénario et adaptation de Michel Audiard et Jean-Marie Poiré, d'après une idée de Fred Kassak. Dialogues de Michel Audiard.

Les murs ont des oreilles...

Patrick Timsit à Alain Chabat et Mourad Ayat dans ***Le Cousin*** (1997).

(Patrick Timsit se plaint de ses voisins...)

— Ici, j'peux même pas dormir ! C'est le bordel toute la nuit, y'a que des Arabes !
(*Un Algérien pointe son nez...*)
— Quoi ?
— *Salaam Alikoum*, mon frère.
— *Alikoum Salaam*, connard !

Réalisé par Alain Corneau. Scénario et dialogues d'Alain Corneau et Michel Alexandre.

Zaza Napoli vs Renato Baldi

Michel Serrault à Ugo Tognazzi dans ***La Cage aux folles*** (1978).

Tu ne m'aimes plus, Renato. Après tant d'années de vie commune, tu me regardes comme un pot-au-feu, plus comme une reine de théâtre !

Réalisé par Édouard Molinaro. Scénario et adaptation de Francis Veber, Édouard Molinaro, Marcello Danon et Jean Poiret, d'après sa pièce.

Plate comme une limande ?

Michel Vuillermoz dans ***Le Créateur*** (1999).

Des roses ! Mais c'est stupide ! Surtout pour cette salope. C'est pas une fille, c'est un poisson. De loin, elle brille ; de près, elle pue !

Réalisé par Albert Dupontel. Scénario et dialogues d'Albert Dupontel et Gilles Laurent.

Le petit oiseau ne sort plus...

Bulle Ogier à Rufus dans ***Mariage*** (1974).

— Avant tu me faisais des photos.
— Je te prenais en photo parce qu'avant tu souriais. Maintenant tu fais toujours la gueule, c'est pas la peine de gâcher de la pellicule.

Parce que c'était lui, parce que c'était moi...

Richard Bohringer à Judith Godrèche dans ***Tango*** (1993).

— Pourquoi vous l'aviez épousé ? Pourquoi une fille comme vous épouse un type comme ça ?
— P't'être parce que je m'ennuyais. Parce qu'il me faisait rire un peu, parce qu'il ne buvait pas de bière et pesait dix kilos de moins !

Écrit et réalisé par Patrice Leconte, avec la collaboration de Patrick Dewolf.

Un partout, la balle au centre !

Jean Rochefort à Charlotte Rampling dans ***Désaccord parfait*** (2006).

— Alice, tu es superbe, tu n'as pratiquement pas changé.
— J'aimerais pouvoir te retourner le compliment !

Réalisé par Antoine de Caunes. Scénario d'Antoine de Caunes, Jeanne Le Guillou et Peter Stuart. © Loma Nasha Films/Gaumont/France 2 Cinéma/Tigerfish LCD/Castel Films SRL.

Les yeux revolvers

Roger Carel à Alain Souchon dans ***L'Été meurtrier*** (1983).

— Allez, reviens sur Terre, va !
— Dis ! Je peux quand même bien respirer une minute.
— Respirer, hein ? Si tes yeux étaient des chalumeaux, elle pourrait plus jamais s'asseoir, la pauvre petite !

Réalisé par Jean Becker. Adaptation et dialogues de Sébastien Japrisot, d'après son roman.

Merci les poètes !

Jean Yanne à Guillaume Canet dans ***Je règle mon pas sur le pas de mon père*** (1999).

“Le ciel tout bleu comme une haute tente frissonnera somptueux. Allons, plie sur nos deux fronts heureux…” Les poètes ont écrit pour baiser à l'œil, il y a des siècles, et ça sert toujours. C'est balèze, non ?

Réalisé par Rémi Waterhouse. Scénario de Rémi Waterhouse et Éric Vicaut. Adaptation et dialogues de Rémi Waterhouse.

Autocritique ?

Philippe Khorsand à Gérard Lanvin dans ***Mes Meilleurs Copains*** (1989).

C'est curieux que j'aie systématiquement les mêmes problèmes avec les femmes. Mais qu'est-ce que j'ai ? Un vice de forme ?

Réalisé par Jean-Marie Poiré. Scénario, dialogues et adaptation de Jean-Marie Poiré et Christian Clavier.

La gaffe !

François Berléand à Guillaume Canet dans ***Mon Idole*** (2002).

(Berléand, présentateur, devant une série de photos représentant le public cible…)

— D'ailleurs, séparément, ces gens-là n'ont aucun intérêt. Moi, je dois prendre en considération les masses. Les masses expriment des désirs, et moi je dois faire des émissions qui correspondent à leurs désirs. Vous comprenez ce que je vous dis ou vous faites semblant ?
— Non, non, bien sûr, c'est très clair, je comprends… C'est la masse qui parle… une personne en particulier, on s'en fout… Là, la vieille là, on s'en fout.
— Non, elle, on s'en fout pas, c'est ma mère. Elle s'est suicidée l'année dernière dans des circonstances atroces !

Réalisé par Guillaume Canet. Scénario de Guillaume Canet et Philippe Lefebvre. Dialogues de Guillaume Canet, Philippe Lefebvre et Éric Naggar. Les Productions du Trésor/M6 Films/Caneo Films/Pandrake Films/Nord-Ouest Production/Mars Films/Sparkling.

Virilité torpillée

Anne Marivin à Franck Dubosc dans ***Incognito*** (2009).

(Anne Marivin croisant Franck Dubosc à poil dans un couloir…)

C'est marrant un corps d'adulte avec un sexe d'enfant !

Réalisé par Éric Lavaine. Scénario d'Hector Cabello Reyes, Éric Lavaine et Bénabar, d'après une idée originale d'Éric Lavaine.

Le crime parfait

Germaine Montero à Alain Delon dans ***Mélodie en sous-sol*** (1963).

— Ton père et moi, tu nous feras mourir de chagrin.
— Tant mieux, comme ça on retrouvera pas l'arme du crime !

Réalisé par Henri Verneuil. Scénario d'Albert Simonin, Michel Audiard et Henri Verneuil, d'après le roman de John Trinian. Dialogues de Michel Audiard.

Banqueroute imminente...

Jean-Paul Belmondo à Paul Frankeur dans ***Un Singe en hiver*** (1962).

Monsieur Esnault, si la connerie n'est pas remboursée par les assurances sociales, vous finirez sur la paille !

Réalisé par Henri Verneuil. Adaptation de François Boyer, d'après le roman d'Antoine Blondin. Dialogues de Michel Audiard.

Couples modernes

Philippe Chevallier à Alice Evans dans ***Ma femme s'appelle Maurice*** (2002).

(Un mari adultère découvre que sa maîtresse est déjà... fiancée !)

— Dis donc, quand je pense que t'as le culot de me reprocher d'être marié, alors que tu... T'es qu'une... Tu exigeais de vivre avec moi, alors que tu as ce... Johnny !
— On ne quitte pas son appartement tant qu'on n'en a pas trouvé un autre...
— Tu m'as bien allumé.
— C'est toi qui m'a draguée dans l'Aquaboulevard...
— Tu tapinais !

Réalisé par Jean-Marie Poiré. Scénario et dialogues de Jean-Marie Poiré et Raffy Shart, d'après sa pièce.

Jeux de mains...

Michel Blanc à Gérard Lanvin dans ***Marche à l'ombre*** (1984).

— On chahutait un peu avec Marie-Gabrielle et j'ai dû m'enthousiasmer un peu trop fort, j'ai senti un déchirement aux poumons, ça doit être la plèvre.
— Tu commences pas avec ça, c'est pas le moment vieux...
— Mais je te jure, c'est sérieux, j'crois que je vais m'évanouir.
— Écoute, ça fait sept ans que je te connais, ça fait sept ans que tu meurs !

Réalisé par Michel Blanc. Scénario de Michel Blanc et Patrick Dewolf. Dialogues de Michel Blanc.

Retrouvailles

Thierry Lhermitte à Karine Viard dans ***L'Ex-femme de ma vie*** (2004).

À quel moment tu t'es rappelé de mon existence ? En revenant de la boulangerie, avec ton bâtard sous le bras ? Je fais pas d'humour, hein ! Ou alors en cherchant dans les pages jaunes de l'annuaire ? À la rubrique "bonne poire" ?

Dommage qu'elle soit une p...

Philippe Noiret à Régine dans ***Les Ripoux*** (1984).

(Régine joue le rôle d'une prostituée… très lucide.)

— Qu'est-ce que tu dirais de tenir un commerce ? Un petit resto-tabac-PMU ? Bien situé ?
— T'as raison. Il faut que je commence à penser à vendre autre chose que moi-même. Parce que dans ce domaine, ça sent le dépôt de bilan !

Réalisé par Claude Zidi. Scénario et adaptation de Claude Zidi, d'après une idée originale de Simon Mickael. Dialogues de Didier Kaminka.

Dent contre dent

Nathalie Baye à Sergi López dans ***Une Liaison pornographique*** (1999).

Je t'aime comme j'ai jamais aimé quelqu'un avant toi.
J'ai cette impression-là, maintenant, et… même si elle est fausse, elle est tellement forte qu'elle peut être que vraie.
Tu comprends ? Je veux vivre avec toi. Me marier avec toi.
Vieillir et porter un dentier avec toi. Enfin… deux dentiers.
Chacun son dentier !

216

Peut-être comédien, mais pas imitateur...

Florence Muller à Kad Merad dans ***Un Ticket pour l'espace*** (2006).

(Kad Merad, comédien raté, écoute son répondeur avec son épouse...)

— Oui, bonjour, c'est Claude Lelouch à l'appareil. C'est un message pour Stéphane Cardoux, le comédien. Voilà, je voudrais vous rencontrer pour un gros projet de film. Rappelez-moi vite au 01.64.06.22.25. Merci !
— Ben, tu vois, Isa, tout arrive ! Faut attendre, c'est tout !
— Stéphane !
— Oui ?
— Premièrement, le numéro qu'il donne, là, Claude Lelouch, c'est NOTRE numéro, c'est la maison !
— Tu te rends compte ? Claude Lelouch a le même numéro que nous ! Je vais appeler France Télécom.
— Mais deuxièmement, je t'ai reconnu, t'as pris la même voix, il y a un mois, pour faire Luc Besson...

Réalisé par Éric Lartigau, Pierre-François Martin Laval et Frédéric Proust. Scénario original et dialogues de Kad et Olivier, et Julien Rappeneau. © LGM Cinéma/Gaumont/M6 Films/KL Production.

La princesse et le karatéka

Zabou Breitman à Benoît Poelvoorde dans ***Narco*** (2004).

— J'suis pas une princesse, t'es pas une star du karaté. C'est comme ça...
— Eh ! J'suis une star du karaté, OK ? Et puis tu commences à m'emmerder avec tes conneries. À dire tous tes trucs, là. Parce que je suis un putain de karatéka ! Simplement, on m'a pas donné ma chance. Point barre !

Clair et net

Ivan Franek à Mylène Demongeot dans ***36, quai des Orfèvres*** (2004).

— Désape-toi.

— Tue-moi, je préfère !

Réalisé et écrit par Olivier Marchal, d'après un scénario original d'Olivier Marchal, Frank Mancuso et Julien Rappeneau, avec la participation de Dominique Loiseau.

Pute ou soumise ?

Patrick Bruel à Jean Reno dans ***Le Jaguar*** (1996).

(Parlant d'une très belle Indienne…)

— Il faut qu'elle se tire très loin, à New York, à Paris. Jolie comme elle est, elle se démerdera toujours dans une grande ville…
— À faire la pute, vous voulez dire ?
— Pas nécessairement. Une fille comme ça, vous la maquillez, vous l'habillez, c'est un top model.
— J'ai pas votre expérience, mais il me semble que maquillée et habillée, elle a plus de chances de finir sur le trottoir que sur la couverture de *Vogue* !

Tout à refaire !

Aure Atika, Valérie Benguigui et Géraldine Nakache dans ***Comme t'y es belle !*** (2006)

(Montrant sa nouvelle pédicure à sa sœur...)

— Tiens, regarde, ça fait pétasse ou non ?
— Non. Mais le T-shirt, grave !
— Quoi le T-shirt ? Nina ? Il fait pétasse mon T-shirt ?
— Non. Mais les pieds, grave !

Réalisé par Lisa Azuelos. Scénario de Lisa Azuelos avec la collaboration de Michaël Lellouche et Hervé Mimran.

Une femme avec une femme...

Jacques François à Catherine Frot dans ***Éros thérapie*** (2004).

(Elle avoue à son père qu'elle divorce, car elle trompe son mari avec une femme...)

— Tromper son mari avec une femme, c'est pas le tromper vraiment ! C'est un demi-adultère...
— Ah ! parce que pour toi, une femme n'est pas un être à part entière ? C'est un demi-être humain ?
— Ah ! je t'en prie. Pas de revendications féministes d'arrière-garde !

La grande famille du cinéma...

Catherine Deneuve à Emmanuelle Béart dans ***Mes Stars et Moi*** (2008).

(Catherine Deneuve et Emmanuelle Béart sont deux stars du cinéma...)

— Tu fais déjà la une des journaux, non ? Remarque, c'est plus pour tes fesses que pour tes films...
— Non, mais je rêve ! Tu sais ce qu'elles te disent, mes fesses ?
— Non, je ne sais pas ce qu'elles disent, mais je sais ce qu'elles font et, apparemment, elles bossent à plein temps !

Un patin façon Éléphant Bleu

Josiane Balasko à son gigolo dans ***Absolument fabuleux*** (2001).

Mais enfin ! C'est un baiser que je t'ai demandé, pas un car wash !

Réalisé par Gabriel Aghion. Scénario, dialogues et adaptation de Gabriel Aghion, François-Olivier Bousseau et Rémi Waterhouse avec la participation de Pierre Palmade. © Mosta Films/Studiocanal/TF1 Films Production/Sans Contrefaçons Productions/Josy Films.

Élément perturbateur

Bernard Giraudeau à Michel Blanc dans ***Viens chez moi, j'habite chez une copine*** (1981).

— J'avais une vie calme avant. T'arrives, tu t'installes, tu fous le feu à la cuisine, t'organises des partouzes avec des écuyères de cirque, t'amènes 27 000 gonzesses à la maison… Comment veux-tu que je tienne le coup, moi ? En plus, t'organises des plans merdeux de camionnette en panne.
— Ben, moi, j'ai fait ça pour te rendre service, parce que je t'aime bien !
— Ouais, ben il paraît que celui qui a inventé la bombe atomique, il aimait vachement les gens ! Alors arrête de me rendre service, tu veux ?

Réalisé par Patrice Leconte. Scénario et adaptation de Patrice Leconte et Michel Blanc. Dialogues de Michel Blanc, d'après la pièce de Luis Rego et Didier Kaminka.

Humour macabre...

Marina Foïs dans ***Darling*** (2007).

J'oublierai jamais cette image : mon frère avec le tube d'échafaudage en travers de sa tête. On aurait dit un footballeur de baby-foot !

Le témoin pathétique

Miou-Miou à Jean Dujardin dans ***Mariages !*** (2004).

(Elle est train de réviser le discours du témoin...)

Non, mais Alex, vous comptez vraiment dire ça ? “Pour faire un bon mariage, il faut que le mari soit sourd et la femme aveugle” ?

L’ordure intégrale

Jean Yanne à Marlène Jobert dans ***Nous ne vieillirons pas ensemble*** (1972).

T’as jamais rien réussi et tu réussiras jamais rien, c’est tout. Et tu sais pourquoi ? Parce que t’es vulgaire, irrémédiablement vulgaire ! Et non seulement t’es vulgaire, mais t’es ordinaire en plus. Toute ta vie tu resteras une fille de concierge.

L'emmerdeur

Benoît Poelvoorde au serveur dans ***Les Portes de la gloire*** (2001).

— Ça fait cinq minutes que je te fais signe !
— Excusez-moi, monsieur, je vous avais pas vu.
— Tu m'avais pas vu, tu m'avais pas vu ! Qu'est-ce que tu crois que je fais avec mon bras en l'air ? La circulation ?

Petit et grand écran à la maison…

Paul Frankeur à Lino Ventura dans ***Marie-Octobre*** (1959).

— T'as pas la télévision, toi ?
— Ah, non ! Comme cinéma à domicile, j'ai ma femme !

Réalise par Julien Duvivier. Adaptation de Julien Duvivier et Jacques Robert d'après son roman. Dialogues d'Henri Jeanson. © Pathé Consortium Film.

Compliment ?

Nicole Jamet à Pierre Richard dans ***Je ne sais rien mais je dirai tout*** (1973).

Si votre caractère est aussi faible que vos muscles, ce doit être formidable.

Réalisé par Pierre Richard, scénario et dialogues de Pierre Richard et Didier Kaminka. © Les Films Christain Fechner/Renn Productions.

Bonnes intentions...

Catherine Deneuve à Jean-Paul Belmondo dans ***La Sirène du Mississippi*** (1969).

— Je peux très bien tenir une maison toute seule, tu sais. Je suis une femme comme les autres. Je peux faire le ménage, la cuisine…
— Et la vaisselle, la lessive…
— Mais oui. Tu verras, je t'étonnerai.
— C'est ça, étonne-moi.

Ça fait toujours plaisir...

Agnès Jaoui à Alain Chabat dans ***Le Goût des autres*** (2000).

— Tu me reconnais pas ?
— Non, heu…
— C'est pas grave.
— Mademoiselle, je vais prendre un mixed jambon fromage finalement.
— D'accord.
— Mais on se connaît d'où exactement ? Excusez-moi, mais je…
— Ça n'a aucune importance. On a juste couché ensemble.

Réalisé par Agnès Jaoui. Scénario et dialogues de Jean-Pierre Bacri et Agnès Jaoui.

Après vingt ans de mariage...

Véra Clouzot à Paul Meurisse dans ***Les Diaboliques*** (1955).

— Si je pouvais crever pour de bon et ne plus te voir.
— Eh bien crève ma chérie, crève bien vite ! On te fera un bel enterrement et on sera bien débarrassés. La boutique s'en portera pas plus mal et moi je m'en porterai bien mieux.

Réalisé par Henri-Georges Clouzot. Scénario et dialogues d'Henri-Georges Clouzot, Jérôme Géromini, René Masson, Frédéric Grendel.

Qui sème le vent...

Alain Chabat à Sylvie Audcoeur dans ***Gazon maudit*** (1994).

— Écoute Ingrid, on rigole bien, on baise bien, on s'amuse bien, mais tu laisses ma femme en dehors de tout ça, c'est pas du tout le style à se faire draguer à la sortie de l'école en attendant ses mômes, si tu vois ce que je veux dire.
— Tout à fait le genre de propos que mon mari tenait à sa maîtresse… en parlant de moi.

Un mari tout petit petit

Bulle Ogier à Rufus dans ***Mariage*** (1974).

Tu sais ce que t'étais à vingt ans ? Un héros, un conquérant, un homme. Regarde ce que t'es devenu, un mari de série moyen, médiocre, petit, petit, petit. Un Français moyen avec ses petites combines, ses petits vices, ses petites habitudes. Même tes maladies sont petites : une rage de dent, un cor au pied, une grippe, une otite, un lumbago...

Plutôt rancunier le môme Fred !

Françoise Rosay à André Pousse dans ***Faut pas prendre les enfants du bon Dieu pour des canards sauvages*** (1968).

— Je suis sûre que si tu la voyais, tu pardonnerais tout. Elle mange plus, elle boit plus…
— Tant mieux, qu'elle crève !
— Elle crie ton nom toutes les nuits, elle dévore ses oreillers. Tends-lui la main Fred…
— Si je la lui tends, ça sera au travers de la gueule !

Réalisé par Michel Audiard. Scénario original et dialogues de Michel Audiard. Adaptation d'Henri Viard, Jean-Marie Poiré et Michel Audiard.

Solidarité féminine ?

Christophe Malavoy à Nathalie Baye dans ***La Balance*** (1982).

— Date de naissance, s'il vous plaît ?
— Tu sais pas lire ?
— 29 août 52 ? Profession ? Ménagère, je suppose ?
— Non, putain ! Vaut mieux s'faire baiser pour 50 sacs que pour un sandwich, comme ta femme !

Le sens des comparaisons...

Raffaëla Anderson dans ***Baise-moi*** (2000).

C'est comme une voiture qu'tu gares dans une cité, tu laisses pas des trucs de valeur à l'intérieur parce que tu peux pas empêcher qu'elle soit forcée. Ma chatte, j'peux pas empêcher les connards d'y entrer, j'y ai rien laissé de précieux. C'est jamais qu'un coup de queue, quoi. On n'est jamais que des filles…

Pas si vite !

Claire Nebout à Jean-Pierre Bisson dans ***Association de malfaiteurs*** (1987).

— Bonsoir.
— J'ai une bonne nouvelle pour vous. Vous dînez avec moi demain soir !
— Ah oui ? Et on fait l'amour avant ou après ?
— … ?
— Vous semblez apprécier la rapidité.
— Dans les affaires je suis rapide, mais dans les sentiments…
— Déjà les sentiments ?

Réalisé par Claude Zidi. Scénario et adaptation de Michel Fabre, Simon Michael et Claude Zidi, d'après une idée originale de Claude Zidi. Dialogues de Didier Kaminka.

Juif… de père en fils ?

Henri Guybet à Louis de Funès dans ***Les Aventures de Rabbi Jacob*** (1973).

— Moi par exemple, je suis juif.
— Vous êtes juif ? Comment, Salomon, vous êtes juif ? Salomon est juif, ohhhhhhh…
— Et mon oncle Jacob, qui arrive de New York, il est rabbin.
— Mais il est pas juif ?
— Si.
— Mais pas toute votre famille ?
— Si !
— Ben écoutez, ça fait rien. Je vous garde quand même !

Le baiser de trop...

Yves Robert à Jean Lefebvre dans ***Un Idiot à Paris*** (1967).

— Vous êtes marié, vous ?
— Pas encore, mais ça pourrait bien se faire.
— Moi, je le suis depuis vingt ans. Quand j'ai rencontré Louise, je voulais être pianiste. Et puis je l'ai embrassée et puis on a eu une fille. Adieu le piano... Pour un baiser de trop, je suis devenu magasinier !

Réalisé par Serge Korber. Adaptation de Michel Audiard, Jean Vermorel, Serge Korber, d'après l'œuvre de René Fallet. Dialogues de Michel Audiard.

Y'a pas de petites économies !

Lino Ventura dans ***Les lions sont lâchés*** (1961).

La fréquentation des salons m'a appris une chose. À ne plus chercher au coin des rues ce que l'on trouve gratuitement auprès des femmes du monde !

Réalisé par Henri Verneuil. Scénario de France Roche. Dialogues de Michel Audiard.

Optic 2000

Michel Blanc à l'employé de gare dans ***Les bronzés font du ski*** (1979).

(Cherchant en vain son train, il s'adresse à un employé de la SNCF…)

— S'il vous plaît monsieur. Le train pour Bourg-Saint-Maurice, c'est où, c'est pas affiché là…
— Ça m'étonne pas, ici on est à Saint-Lazare…
— Ah ! j'suis pas fou, sur mon billet, y'a écrit Saint-Lazare ! C'est mes yeux ou quoi ?
(Il regarde et lui tend son billet…)
— Je crois que ça doit être vos yeux !

Maîtresse femme

Charlotte Rampling à Michel Serrault dans ***On ne meurt que deux fois*** (1985).

Maintenant je vais te dire une chose importante. J'ai horreur qu'on me pose des questions, j'ai horreur du bord de mer et encore plus horreur de me balader avec un flic qui me pose des questions au bord de la mer. Et puis t'es vieux et puis t'es moche… et puis t'es con !

Réalisé par Jacques Deray. Scénario et adaptation de Michel Audiard et Jacques Deray, d'après le roman de Robin Cook. Dialogues de Michel Audiard.

Une petite pouilleuse pleine d'avenir...

Benoît Poelvoorde à Vanessa Paradis dans ***Atomik Circus*** (2004).

— Moi, ce que je vise (*parlant de l'industrie du disque*), c'est la grosse distribution. Faut tout focaliser *on the product*.
— Et quel "*product*" ?
— Bah ! toi !
— Moi ?
— J'vois ça d'ici. La petite pouilleuse de l'Ouest, sortie de son trou à rats pour aller tutoyer les étoiles !

Réalisé par Didier et Thierry Poiraud. Scénario de Jean-Philippe Dugand, Didier Poiraud, Thierry Poiraud, Vincent Tavier, Marie Garel-Weiss, d'après l'univers imaginé de X90 et Didier Poiraud. © Entropie Films/TF1 Films Production/MMC Independent/Invicta Filmworks.

Éducation radicale

Isabelle Nanty à ses enfants dans ***Le Bison*** (2003).

Ça n'existe pas, les princes ! Y'a pas de princesse qui dort, y'a pas de cheval, y'a que des méchantes marâtres, des nids à crapauds, des potions... dégueu à avaler... Y'a pas de pièces d'or. Y'a de la merde, ah ! ça, de la merde, ça... en veux-tu, en voilà !... Alors vous allez méditer là-dessus et, à partir de demain, on change de régime ! J'vais vous apprendre la vie !

Vous avez dit gentleman ?

Mort Shuman à son épouse Nadiuska dans ***Plus ça va, moins ça va*** (1977).

— Tu me fatigues avec ta fidélité ! J'ai juré fidélité à une jeune fille de vingt ans, pas à une femme de quarante !
— Trente-sept !

Gentillesse récompensée...

Gérard Darmon à Zoé Félix dans ***Le Cœur des hommes*** (2003).

— J'adore dormir avec toi...
— On dirait pas.
— Parce que je suis un abruti, y'a pas d'autres explications.
T'es la femme la plus sublime du monde !
— T'es lucide que quand t'es bourré !

L'art du raccourci...

Une rencontre à Thierry Lhermitte dans ***Tango*** (1993).

— Vous êtes marié ?
— Oui. Et c'est terrible, d'ailleurs. Je suis là avec vous,
et ça ne m'empêche pas d'être amoureux de ma femme.
Pourtant quand je vous regarde, j'ai envie d'être veuf.
Il y a des jours où je me dis que tout serait plus simple
si elle passait sous un autobus !

Les vieux mariés...

Jean Rochefort à Charlotte Rampling dans ***Désaccord parfait*** (2006).

— Julien ! Si j'avais eu un garçon, je l'aurais appelé Julien. En même temps, tu sais l'effet qu'ont toujours eu sur moi les mots "mariage" et "enfant".
— Comme pour moi les mots "mensonges" et "polygamie", n'est-ce pas... !

Réalisé par Antoine de Caunes. Scénario d'Antoine de Caunes, Jeanne Le Guillou et Peter Stuart.

Bon ami ne saurait mentir…

Kad Merad à Jean-Paul Rouve dans ***Ce soir, je dors chez toi*** (2007).

— Écoute-moi bien, là c'est l'ami qui te parle. Tu recules l'échéance, mais dans un mois faudra que tu te décides. Si tu ne supportes pas de vivre avec elle, faudra rompre. Autrement…
— Autrement ?
— Autrement, t'es qu'une merde !
— Heureusement que c'est l'ami qui me parle…

Réalisé par Olivier Baroux. Adaptation et dialogues de Michel Delgado et Jean-Paul Bathany, librement adapté des bandes dessinées de Dupuy et Berberian *Monsieur Jean*.

Âge limité à l'orchestre

Coralie Revel à Judith Godrèche dans ***Tu vas rire, mais je te quitte*** (2005).

(Jeune comédienne racontant ses aventures théâtrales à ses copines…)

On a eu un de ces fous rires ce soir. Philippe *(Chevallier)* et Régis *(Laspalès)* n'arrêtaient pas de rajouter du texte. Ça devenait n'importe quoi ! En plus, il y avait que des vieux qui n'arrêtaient pas de tousser, de se moucher… Moi j'suis pour qu'on interdise les vieux au théâtre. Passé un certain âge, ils sont plus sortables !

Réalisé par Philippe Harel. Scénario et adaptation de Philippe Harel et Éric Assous, d'après l'œuvre d'Isabelle Alexis.

Courage, fuyons !

Jean-Pierre Daroussin et Muriel Robin dans ***Saint-Jacques… La Mecque*** (2005).

— À seize ans, je me suis tiré en courant.
— Ça, faut dire que pour ce qui est de se tirer en courant, t'es champion toutes catégories. Demande à ta femme et à tes enfants…
— Laisse mes enfants tranquilles.
— C'est toi qui les laisses gravement tranquilles. À part pour leur emprunter du fric…

Shopping déprimant

Alain Souchon à Isabelle Adjani dans ***L'Été meurtrier*** (1983).

— T'as été dans les magasins, t'as rien acheté.
— J'ai besoin de rien, c'était juste pour faire un tour. Entre ta mère et ta tante, je rigole trop… J'attrape des rides !

Réalisé par Jean Becker. Adaptation et dialogues de Sébastien Japrisot, d'après son roman.

Y'a qu'le résultat qui compte, non ?

Guillaume Canet à Jean Yanne dans ***Je règle mon pas sur le pas de mon père*** (1999).

— Elle était pas comme ça ! *(Sa mère.)*
— Ah non ? "Toutes des salopes, sauf maman…" Dis-toi bien que les femmes qui se font peloter sur les banquettes avec un verre dans le nez, ça fait des mères admirables. Alors, avec qui et dans quelle position… Qu'est-ce qu'on en a à foutre ?

Réalisé par Rémi Waterhouse. Scénario de Rémi Waterhouse et Éric Vicaut. Adaptation et dialogues de Rémi Waterhouse.

Cultivé... et viril !

Patrick Timsit à Jacques Gamblin dans ***Pédale douce*** (1996).

— Pédale ?
— Douce. Hétéro... Cool.
— Ça veut dire quoi ? Il se fait baiser que le dimanche ?
— Ah ! non, mais attends, il est intelligent, hein !
— Oh ! mais tu sais son intelligence, je m'en fous ! C'est pas la cervelle qu'on suce !

Réalisé par Gabriel Aghion. Scénario de Gabriel Aghion. Adaptation de Gabriel Aghion et Patrick Timsit. Dialogues de Pierre Palmade.

Peine à jouir...

Caroline Bourg à Vincent Elbaz dans ***Tel père, telle fille*** (2007).

C'est marrant que t'arrives pas à éjaculer ! En général, c'est plutôt l'inverse, enfin je parle des coups d'un soir. Les mecs sont excités, t'as pas idée. Mais heu... ça te fait ça tout le temps ou... c'est parce que c'est moi ? Parce que je pourrais me vexer quand même !

Réalisé par Olivier de Plas. Scénario de Bernard Jeanjean et Olivier de Plas, d'après le roman de Virginie Despentes *Teen Spirit*.

Merci pour les encouragements !

Lio et Mathilde Seigner dans ***Mariages !*** (2004).

(À la future mariée…)

— Ceci dit, il y a de quoi flipper, c'est quand même l'une des journées les plus importantes de ta vie.
— Oui, ma chérie, tu entres dans la grande famille des postulants au divorce !

Un an après « atmosphère »...

Arletty à Jean Gabin dans ***Le jour se lève*** (1939).

— Faut pas se plaindre. Avec toi j'ai respiré un peu, une petite cure…
— Écoute Clara. Tu sais, j'ai pas voulu te faire de peine, et tout de même, je voudrais que tu gardes un bon souvenir de moi. Parce que moi je t'oublierai pas, promis.
— Ben moi, si je pouvais t'oublier, je t'oublierais tout de suite, je te le garantis. Des souvenirs, des souvenirs, est-ce que j'ai une gueule à faire l'amour avec des souvenirs ?

Réalisé par Marcel Carné. Scénario original de Pierre Viot. Dialogues de Jacques Prévert.

Et vlan !

Thierry Lhermitte à Caterina Murino dans ***Les Bronzés 3*** (2006).

(Thierry Lhermitte parlant de sa femme pour gagner du temps avec sa maîtresse...)

— Il va falloir faire profil bas, parce que... Je crois que... ça serait un peu cruel de lui jeter notre bonheur à la figure. Non, le mieux, ça serait que l'on continue à se voir en cachette, enfin, pendant un certain temps, tu vois, le temps qu'elle s'habitue, euh... à...
— Moi aussi, j'ai fait un rêve.
— Ah bon ?
— T'avais des couilles !

Réalisé par Patrice Leconte. Scénario et dialogues de Josiane Balasko, Michel Blanc, Marie-Anne Chazel, Christian Clavier, Gérard Jugnot, Thierry Lhermitte.

La jalousie fait dire des choses !

Rémy Girard à Dorothée Berryman dans ***Les Invasions barbares*** (2003).

— Tu vas pas recommencer ça, Louise ! Tu sais très bien que ça fait des années que je n'ai pas — sauté, comme tu dis, une étudiante !
— Ah oui ? Raphaëlle Metellus, c'était pas une étudiante, peut-être ?
— Raphaëlle Metellus n'a jamais été dans ma classe.
— Toi, c'était les cours privés, j'imagine ? Mettez-vous à genoux mademoiselle et ouvrez bien grand surtout, que je ne sente pas vos dents !

Mémoires d'un proxo...

Nathalie Baye à Philippe Léotard dans ***La Balance*** (1982).

(Une prostituée à son mac…)

— Tu pourrais faire tes mémoires, je pourrais t'aider… Les convoques chez le juge d'instruction. T'attendre devant le parloir et quinze heures de trottoir par jour pour payer l'avocat ! Sans parler des nuits où je dormais seule...
— Oui, ben, elles étaient pas longues, celles-là…

Médecines parallèles...

Dany Carrel à Jean Gabin dans ***Le Pacha*** (1968).

— Il est là tous les soirs. Tous les matins, il me tient une heure au téléphone. Il devrait y avoir des cliniques pour les obsédés !
— Ben y'en avait. On les a fermées.

Réalisé par Georges Lautner. Adaptation de Michel Audiard et Georges Lautner, d'après le roman de Jean Laborde *Pouce*. Dialogues de Michel Audiard.

Retour de bâton

Christopher Thompson à Annelise Hesme dans ***Fauteuils d'orchestre*** (2006).

— Écoute, je voulais te dire que… avec ma femme, c'est fini.
— Alors là, je suis sciée. C'est toi qui es parti ?
— Ça t'étonne ?
— Ben oui.
— Pourquoi ?
— Un homme aussi chiant avec sa maîtresse doit pas être beaucoup plus drôle avec sa femme…

Réalisé par Danièle Thompson. Scénario et dialogues de Danièle et Christopher Thompson.

Ministre de l'inégalité des chances

Louis de Funès dans ***La Folie des grandeurs*** (1971).

— Cette année, la récolte a été très mauvaise, alors il faut payer le double ! Les impôts, tout ça, c'est pour le roi !
— Mais Don Salluste, nos gens sont terriblement pauvres et...
— C'est normal. Les pauvres, c'est fait pour être très pauvres et les riches, très riches !

Réalisé par Gérard Oury. Scénario, adaptation et dialogues de Gérard Oury, Danièle Thompson et Marcel Jullian.

266

Très précoce première communiante !

Marie Gillain à Hugo Speer dans ***Barnie et ses petites contrariétés*** (2000).

Quand je me suis retrouvée devant le curé dans l'église avec ma petite robe blanche, au lieu de manger l'hostie qu'il me tendait… je lui ai mordu la main au curé. C'était son corps à lui que je voulais, pas celui de Jésus !

Réalisé par Bruno Chiche. Adaptation et dialogues de Fabrice Roger-Lacan et Bruno Chiche, d'après un scénario original d'Alain Layrac.

Une blonde… pas si blonde

Lino Ventura à Mireille Darc dans ***Ne nous fâchons pas*** (1966).

— Vous savez, on a toujours tendance à prendre les bruns trapus pour des gangsters, mais c'est un préjugé idiot…
— J'en connais un autre qui consiste à prendre les grandes blondes pour des imbéciles !

Réalisé par Georges Lautner. Scénario et adaptation de Marcel Jullian, Georges Lautner, Michel Audiard et Jean Marsan. Dialogues de Michel Audiard.

My tailor is rich !

Christian Clavier à Daniel Auteuil dans ***L'Entente cordiale*** (2006).

— Vous parlez peut-être un bon anglais, mais permettez-moi de vous dire que votre accent est déplorable.
— Non, mais je rêve, là. Vous l'avez entendu votre accent ? Vous avez un appareil dentaire, c'est pas possible !

Réalisé par Vincent de Brus. Scénario, adaptation et dialogues de Vincent de Brus et Arnaud Lemort, d'après le scénario original de Fabien Suarez et Sion Marciano *The Interpretator*.

Impitoyable, le professeur d'art dramatique

Louis Jouvet à Odette Joyeux dans ***Entrée des artistes*** (1938).

Je te permettrai d'avoir le trac quand tu auras du talent. Sois inconsciente. Le trac est une manifestation de l'esprit critique, donc de l'intelligence. Par conséquent, tu es incapable d'avoir le trac !

Réalisé par Marc Allégret. Scénario de Henri Jeanson et André Cayatte. Dialogues de Henri Jeanson.

Être ou ne pas être… une belle salope

Carole Bouquet à Jean Dujardin dans ***Bienvenue chez les Rozes*** (2003).

Au fond, sans le vouloir, vous m'avez révélée à moi-même. Jusqu'à ce soir, je n'ai jamais osé me laisser aller, alors que c'est si bon d'être une belle salope… J'ai beaucoup donné dans la femme parfaite sans me rendre compte que c'était pas du tout pour moi !

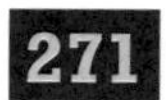

Un prix d'ami

Vincent Elbaz à Marie Gillain dans ***Ni pour ni contre (bien au contraire)*** (2002).

— Et toi, tu prends combien ?
— Pour toi, c'est gratuit chéri. Et c'est quand tu veux… ou peut-être que t'as besoin de payer ?

Réalisé par Cédric Klapisch. Scénario et dialogues de Santiago Amigorena, Cédric Klapisch et Alexis Galmot.

Les copains d'abord

Marie-Anne Chazel à Christian Clavier dans ***Le Père Noël est une ordure*** (1982).

— Hé ! M'sieur Pierre !
— Qu'est-ce qu'il y a ?
— Y'a un monsieur très malpoli qui a téléphoné, il voulait enculer Thérèse !
— Oui, mais c'est un ami.
— Ah ! ben ça va alors !

Réalisé par Jean-Marie Poiré. Adaptation et dialogues de Jean-Marie Poiré et Josiane Balasko, Marie-Anne Chazel, Christian Clavier, Gérard Jugnot, Thierry Lhermitte et Bruno Moynot, d'après la pièce de l'équipe du Splendid.

Trente ans d'écart, et alors ?

Fernand Charpin à Alida Rouffe dans ***Marius*** (1931).

— La petite, elle a vingt ans…
— Mais vous, vous en avez cinquante !
— Oui mais j'ai six cent mille francs.
— Ah ! mon pauvre Panisse, les chemises de nuit n'ont pas de poches. Si je vous parle moi, c'est dans votre intérêt. Ah ! c'est que pour ma petite, c'est un beau parti. Mais quand je pense à ça et que je vous regarde, je vous vois une paire de cornes qui va trouer le plafond !

C'est Johnny ou moi !

Guilaine Londez à Fabrice Luchini dans ***Jean-Philippe*** (2006).

— Ça fait dix ans que tu me promets un voyage en Italie. Non, tu préfères aller à Saint-Tropez ! Tout ça pour louer une villa soi-disant voisine de la villa voisine de celle de Johnny Hallyday !
— Mais la villa, c'est pour toi aussi...
— Pour moi ? Pourquoi tous les ans tu fêtes son anniversaire, alors que le mien tu l'oublies tout le temps ? Faut que tu choisisses, c'est lui ou moi !

Réalisé par Laurent Tuel. Scénario et dialogues de Christophe Turpin. Adaptation de Christophe Turpin et Laurent Tuel.

On appelle ça un don Juan...

Gérard Philipe à Jeanne Moreau dans ***Les Liaisons dangereuses*** (1960).

— Je ne veux pas la prendre, je veux qu'elle se donne.
— Le résultat est le même.
— Non, moi ça me plaît de la voir se défendre et peu à peu perdre pied. Ce sera bien vite assez tôt une femme comme toutes les autres !

Réalisé par Roger Vadim. Adaptation de Roger Vailland et Roger Vadim, en collaboration avec Claude Brulé, librement inspirée de l'œuvre de Choderlos de Laclos. Dialogues de Roger Vailland.

Frapper une vieille, quand même !

Isabelle Nanty à Tsilla Chelton dans ***Tatie Danielle*** (1990).

(Isabelle Nanty arrive très en colère contre Tatie Danielle…)

— Vous avez vu dans quel état sont les toilettes ? Vous me prenez pour qui ?
— Mais vous êtes là pour ça…
(*Elle envoie une gifle à la vieille*)
— C'est ça, pleure. Tu pisseras moins !

Réalisé par Étienne Chatiliez. Scénario et dialogues de Florence Quentin. Adaptation Florence Quentin et Étienne Chatiliez.

Tu me fends le cœur !

Jean Rochefort à Charlotte Rampling dans ***Désaccord parfait*** (2006).

— Arrivés à un certain âge, on a tous le cœur un peu fragile.
— Toi, le cœur fragile ? C'est nouveau, ça.
— Eh oui, Alice, c'est nouveau !
— Enfin, c'est déjà une bonne nouvelle d'apprendre que tu en as un !

Réalisé par Antoine de Caunes. Scénario d'Antoine de Caunes, Jeanne Le Guillou et Peter Stuart.

Père tardif...

Jean Yanne à Guillaume Canet dans ***Je règle mon pas sur le pas de mon père*** (1999).

(Découvrant qu'il a un fils de vingt ans...)

— Moi, je suis content que tu m'aies trouvé...
— Tu savais pour moi ?
— Non ! Enfin, des rumeurs, mais j'étais déjà loin. Chez la plupart des espèces, le mâle s'envole après avoir lâché sa giclée.
— Chez les espèces de salauds, surtout !

Réalisé par Rémi Waterhouse. Scénario de Rémi Waterhouse et Éric Vicaut. Adaptation et dialogues de Rémi Waterhouse.

Bernadette a des oreilles...

Philippe Khorsand et Louise Portal dans ***Mes Meilleurs Copains*** (1989).

(Parlant si délicatement de Bernadette...)

— Il n'y a qu'à retirer le mot nympho et le remplacer par pute, voilà ! Oui, Bernadette est une pute. Elle est irrésistible, mais c'est la reine des putes !
— Alors Antoine ?
— Oh ! Nanette ! Tu dors pas ?

Réalisé par Jean-Marie Poiré. Scénario, dialogues et adaptation de Jean-Marie Poiré et Christian Clavier.

Sois beau et tais-toi !

Dominic Gould à Marianne Denicourt dans ***Monique*** (2002).

(En lui faisant sauvagement l'amour...)

— J'ai tout de suite eu envie de vous, tout de suite... vous êtes tellement, tellement... Je suis amoureux, Claire, très, très, très amoureux...
— Paul ! Fermez-la !... et continuez !

Merde à tous !

Emmanuelle Devos à Vincent Lindon dans ***La Moustache*** (2005).

— Je trouve qu'il va pas bien Serge. Il est dans la dérision perpétuelle, c'est pathétique, non ? Elle t'a parlé, Nadia ?
— Stop.
— Quoi, stop ?
— S'il te plaît, les commentaires de la fin de journée. La psychologie de Serge, le désespoir de Serge, là tout de suite, j'en ai rien à foutre. Mais alors, rien !

Réalisé par Emmanuel Carrère. Scénario, dialogues et adaptation de Jérôme Beaujour et Emmanuel Carrère, d'après son roman.

Courage, fuyons...

Thierry Lhermitte à Michel Blanc dans ***Les bronzés font du ski*** (1979).

— Laisse tomber, c'est une folle, elle sait pas ce qu'elle veut.
— Mais enfin, j'étais à deux doigts de conclure, t'as tout foutu en l'air ! Je sais pas ce qui me retient de te casser la gueule, tiens !
— La trouille, non ?

Réalisé par Patrice Leconte. Scénario et dialogues de l'équipe du Splendid.

On dit plutôt « à réveiller un mort » !

Benoît Poelvoorde dans ***Atomik Circus*** (2004).

Tu veux jouer ta romantique, hein ? Tu joues ta farouche, hein ? Tu joues ton institutrice ? Putain, t'as un cul qui ferait bander un prêtre !

Réalisé par Didier et Thierry Poiraud. Scénario de Jean-Philippe Dugand, Didier Poiraud, Thierry Poiraud, Vincent Tavier, Marie Garel-Weiss, d'après l'univers imaginé de X90 et Didier Poiraud.

Bonne affaire... difficile à saisir...

François Cluzet à Jean-Pierre Bisson dans ***Association de malfaiteurs*** (1987).

(En parlant de sa petite amie...)

— Je connais le propriétaire, il ne veut pas vendre.
— Tout est à vendre, juste question de prix.
— Non, écoute, c'est la meilleure affaire de Paris, mais elle n'est ni à vendre, ni à acheter, ni même à louer.
— C'est ce que disent tous les futurs cocus !

Réalisé par Claude Zidi. Scénario et adaptation de Michel Fabre, Simon Michael et Claude Zidi, d'après une idée originale de Claude Zidi. Dialogues de Didier Kaminka.

Responsable mais pas coupable

Marlène Jobert à Jean Yanne dans ***Nous ne vieillirons pas ensemble*** (1972).

Jo, je voudrais pas que tu fasses de bêtise. C'est promis ? J'dis franchement : tu pourrais mourir à l'instant, ça me ferait rien. Mais je serais embêtée parce qu'on croira que c'est de ma faute.

Habillé pour les quatre saisons !

Miou-Miou à Michel Blanc dans ***Tenue de soirée*** (1990).

— Pauvre type, espèce de con, t'es vraiment rien qu'une merde ! Putain de nom de Dieu, qu'est-ce que j'ai fait au ciel pour toucher une cloche pareille ?
— Oui, mais moi, je t'aime.
— On le sait. T'arrêtes pas de me le seriner. Change de disque. Annonce-moi des bonnes nouvelles au lieu de tout le temps me parler de ton amour !

Coup de foudre

José Garcia à François Cluzet dans ***Quatre Étoiles*** (2006).

(José Garcia cherche à vendre une villa de luxe à un pigeon…)

— Et la villa qu'on avait visitée ? Moi je pensais que…
— Je m'en fous de ta villa ! Moi j'te parle de ma vie.
Je te dis que je dors pas de la nuit, je pense qu'à elle,
je te demande de m'aider, tu vas pas me prendre le chou
avec ta baraque à frites, non !

Réalisé par Christian Vincent. Scénario et dialogues d'Olivier Dazat et Christian Vincent.

L'aveu !

Zinedine Soualem à Karim Balkhadra dans ***JCVD*** (2008).

— Cinquante-deux piges. C'est pour ça que tu me dois le respect. Je pourrais être ton père.
— Toi ! Mon père ? Pourquoi ? Pour l'âge ?
— Non. Parce que j'ai enfilé ta mère !

Réalisé par Mabrouk El Mechri. Scénario et dialogues de Mabrouk El Mechri et Christophe Turpin avec la collaboration de Frédéric Benudis, d'après une idée originale de Vincent Ravalec.

L'institution suprême

Bernard Blier dans ***Un Idiot à Paris*** (1967).

J'ai eu deux garçons. Je les ai mis tout bébés à l'assistance publique. C'est le meilleur collège de France, notre Oxford, notre Harvard ! Je les ai récupérés à dix-huit ans, admirablement formés pour les luttes de la vie. Maintenant, c'est tout le portrait de leur père, 100 % cannibales !

Réalisé par Serge Korber. Adaptation de Michel Audiard, Jean Vermorel, Serge Korber. Dialogues de Michel Audiard, d'après l'œuvre de René Fallet.

Reprise des négociations

Louis de Funès dans ***Les Aventures de Rabbi Jacob*** (1973).

Allô ! allô ! Quoi ? Une grève ? Ben alors, il ne manquait plus que ça ! C'est mon usine qui s'est mise en grève ? Allô ! je leur interdis de faire la grève ! Vous m'entendez ? Non ! je vous dis non ! Alors écoutez-moi, vous faites comme d'habitude, vous promettez tout, et moi je ne donne rien !

Réalisé par Gérard Oury. Scénario, adaptation et dialogues de Danièle Thompson et Gérard Oury, avec la collaboration de Josy Eisenberg.

Confessions intimes

Thierry Lhermitte à Karin Viard, enceinte, dans ***L'Ex-femme de ma vie*** (2004).

— Ma maîtresse ? C'est ma fiancée, c'est la femme de ma vie ! On se marie dans deux mois ! Je devrais me justifier de sa présence devant cette baleine qui vient me pourrir la vie ? Alors que j'ai rien demandé à personne !
— T'en fais pas, je vais pas te pourrir la vie longtemps.
— Où tu vas ?
— PISSER ! La baleine a un utérus gros comme une pastèque qui lui comprime la vessie. Ça te va comme explication ?
— J'ai l'impression de vivre dans les chiottes publiques !

Colette est revenue

Gérard Depardieu à François Cluzet dans ***Trop belle pour toi*** (1989).

(Parlant au mari de son ex-maîtresse…)

— Écoute-moi bien, Pascal. Colette et moi, c'est terminé. Elle va rentrer à la maison, il faut que tu sois là pour l'accueillir. Elle va être mal en point. Je ne supporterai pas de la savoir seule.
— Et moi, j'étais pas seul pendant qu'elle te suçait ?

Tel maître...

Benoît Poelvoorde dans ***Les Portes de la gloire*** (2001).

On a beaucoup à apprendre des chiens. Un chien, ça ne te trahit jamais. Un chien, ça reste près de toi, même dans l'adversité. Pas comme les hommes. Par contre celui-là il pue. Allez, fous le camp !

294

Adieu Antoine !

Mathilde Seigner à Antoine Duléry dans ***Camping*** (2006).

Écoute moi bien Paul Gatineau. Ouvre bien grandes tes oreilles. Perds pas une miette parce que ça va être un festin. Tu vois mes fesses, là ? Tu les vois là ? Déjà, tu les touchais pas beaucoup, mais alors là, tu les toucheras plus, du tout !

Réalisé par Fabien Onteniente. Scénario et dialogues de Emmanuel Booz, Franck Dubosc, Philippe Guillard et Fabien Onteniente.

La bonne copine...

Anne Benoît à Marina Foïs dans ***Darling*** (2007).

À part pour ce zinzin, tu seras jamais rien d'autre que de la poussière dans les yeux des hommes !

Écrit et réalisé par Christine Carrière, d'après l'œuvre de Jean Teulé.

Question judicieuse...

Jean Dujardin dans ***Mariages !*** (2004).

Ben, franchement, tu crois qu'un mec qui, la veille de son mariage, se fait brouter la queue par une pipeuse dont il se rappelle que la couleur du rouge à lèvres a vraiment envie de se marier ?

Qui l'eût cru ?

Micheline Presle à Fernand Gravey dans ***La Nuit fantastique*** (1942).

C'est avec les épouses tristes qu'on fait les veuves joyeuses !

Réalisé par Marcel Lherbier. Scénario et adaptation de Louis Chavance, Maurice Henry et Marcel Lherbier. Dialogues d'Henri Jeanson.

Toutes formidables !

Philippe Noiret à Richard Bohringer dans ***Tango*** (1993).

— Ah, ce que les femmes ont pu en faire chier des hommes comme nous ! Tu crois pas?
— Non, je crois pas. Moi je trouve les femmes formidables, toutes !
— T'as raison. Formidables, à condition de pas vivre avec !

Question de principes...

Jacques Dutronc à Fabio Testi en parlant de Romy Schneider dans ***L'important, c'est d'aimer*** (1975).

Vous n'aimez pas les films de cul ? Moi j'aime bien. Nadine en fait, mais elle n'aime pas ça, elle est devenue puritaine. Elle a tout fait, elle a tout montré et elle est de plus en plus puritaine. Vous comprenez ça, vous ? Parce qu'elle s'est trouvé des principes. Une fois que c'est fait, tu peux lui enlever sa culotte, mais pas ses principes !

Réalisé par Andrej Zulawski. Scénario et dialogues de Christopher Franck et Andrej Zulawski. © Albina Productions/
Rizzoli Films.

L'apprenti salaud...

Marcel Dalio à Jean Gabin dans ***Pépé le Moko*** (1936).

— Pépé, je suis un salaud.
— Je sais.
— Plus que tu penses.
— Plus ? C'est pas possible !

Réalisé par Julien Duvivier. Scénario et adaptation de Jacques Constant, Julien Duvivier et Henri La Barthe, d'après son roman. Dialogues d'Henri Jeanson.

Confidence pour confidence

Benoît Poelvoorde à Gérard Lanvin dans ***Le Boulet*** (2001).

— C'est rapport à ma femme. Tu vois, j'ai l'impression que ma femme et moi c'est... c'est plus ce qu'il y avait avant, tu vois.
— Ah oui, ça, ça arrive.
— Tu ferais quoi à ma place ?
— Ben... j'essaierais de récupérer le coup, malin. Tu vois... Je rentre chez moi, guilleret, je mets mes pieds sous la table... Je dîne avec elle, je la fais sourire... et je la baise à mort.
— À mort ?
— Ouais, à mort, veinard !
— Et si elle veut pas ?
— Si elle veut pas ? Tu lui mets une grande baffe dans sa gueule !

Réalisé par Alain Berberian et Frédéric Forestier. Scénario, adaptation et dialogues de Matt Alexander et Thomas Langmann.

Comme un petit secret entre nous…

Coluche à Isabelle Huppert dans ***La Femme de mon pote*** (1983).

— Si je comprends bien, actuellement, toi la femme de mon copain, t'es en train de me proposer de coucher avec toi, dans sa maison !
— Pourquoi pas ? C'est pas parce que t'es son copain qu'on est obligés de tout lui raconter…
— Mais tu serais pas un peu une belle salope ?

Écrit et réalisé par Bertrand Blier. Scénario et dialogues de Gérard Brach et Bertrand Blier. © Sara Films/Renn Productions.

303

Non-assistance à personne… en difficulté

Claude Berri à Fanny Ardant dans ***La Débandade*** (2000).

— Tu fais tout pour me faire débander !
— Ben c'est moi que ça fait débander si tu veux le savoir. Alors comme ça, tu prends ta petite pilule *(du viagra)*, et puis dans une heure, crac ! crac ! on se prend comme des bêtes. Excuse-moi, je fais pas l'amour sur commande, moi. À heures fixes, avec l'aide de médicaments !

Écrit et réalisé par Claude Berri. Adaptation d'Arlette Langmann et Claude Berri.

L'autoportrait qui tue

Jean Dujardin dans ***99 francs*** (2005).

Hummmm ! Je suis celui qui pénètre votre cerveau. Je jouis dans votre hémisphère droit. Votre désir ne vous appartient plus, je vous impose le mien. C'est moi qui décide aujourd'hui ce que vous allez vouloir demain. L'idéal serait que vous commenciez par me détester avant de détester l'époque qui m'a créé. Mais je ne vais pas travestir la vérité, je ne suis pas un gentil garçon. Je suis une grosse merde !

Réalisé par Jan Kounen. Scénario et dialogues de Nicolas & Bruno. Adaptation de Jan Kounen avec la complicité de Frédéric Beigbeder, d'après son roman.

Du plomb dans la tête ?

Judith Godrèche à Wladimir Yordanoff dans ***Tu vas rire, mais je te quitte*** (2005).

(Il est en train de lui reprocher de trop regarder la télévision...)

— Tu sais le soir, on n'a pas forcément envie de se prendre la tête, plutôt de se la vider.
— De se la vider de quoi ? Avant de pouvoir se vider la tête, il faudrait déjà qu'elle soit remplie !

Réalisé par Philippe Harel. Scénario et adaptation de Philippe Harel et Éric Assous, d'après l'œuvre d'Isabelle Alexis.

Féminité très relative… à quinze mètres !

Claude Rich à Valérie Lemercier dans ***Le Derrière*** (1999).

(Claude Rich prenant Valérie Lemercier pour un garçon présentement travesti en fille…)

— Ah ! tu es beau, tu es beau avec ton rouge à lèvres qui bave !
Ta perruque ! Tes escarpins, du 43 !
— 40.
— C'est pareil ! Tu crois que tu as l'air d'une bonne femme là-dedans ? Mais tu rêves, mon garçon. Tu fais grotesque ! Avec tes épaules de footballeur, on n'y croit pas une seconde. Je suis sûr qu'on voit tes grosses couilles à quinze mètres !

Philosophie matinale

Jean-Paul Roussillon à Michel Serrault dans ***On ne meurt que deux fois*** (1985).

— Je suis un lève-tôt. Depuis le temps, j'en ai vu décarrer des régiments de bonnes femmes, comme ça… Aux aurores, courant vers les métros, la mine barbouillée. On dirait des fois des vieilles bougies trempées dans des cafés crème. C'est pas beau à voir des travailleuses !
— Il ne peut pas y avoir que des putes.
— Et pourquoi pas ? Des travailleuses et des putes. Au moins comme ça, on saurait pourquoi on travaille !

Réalisé par Jacques Deray. Scénario et adaptation de Michel Audiard et Jacques Deray, d'après le roman de Robin Cook.

Tout mais pas l'indifférence...

Julie Gayet à Daniel Auteuil dans ***Mon Meilleur Ami*** (2006).

— Je ne sais plus qui a dit : "Il n'y a pas d'amour, il n'y a que des preuves d'amour." Sauf que c'est exactement l'inverse. Il n'y a pas de preuves. Il n'y a que de l'amour. Et j'en ai souffert.
— De quoi ?
— De ton indifférence !

Réalisé par Patrice Leconte. Scénario de Patrice Leconte et Jérôme Tonnerre, sur une idée de Jérôme Tonnerre et Olivier Dazat. Dialogues de Jérôme Tonnerre.

Drôle de paroissienne !

Muriel Robin dans ***Saint-Jacques… La Mecque*** (2005).

(Parlant d'un prêtre entouré de religieuses…)

Non, mais regardez-moi ce cureton avec ses boniches autour de lui. La voilà l'Église catholique. Un méga club de pédophiles et de femmes soumises ! Moyenne d'âge du public : soixante-quinze balais… Et que je t'interdis la capote et que ça fera bientôt 50 millions de morts du sida dans le monde, mais enfin, ça, le pape de mes deux, il en a rien à battre. Il agite son crucifix, il ramasse le fric, et les banquiers du Vatican jouent à la Bourse !

Deux fois de suite ? Quelle santé !

Bernard Blier à Annie Girardot dans ***Elle cause plus, elle flingue*** (1972).

— Excuse-moi, mais c'est des repas dont on se souvient. Déjeuner en tête à tête, et je me suis retrouvé à Cochin, aux urgences pour lavage d'estomac. Qu'est-ce qu'on a retrouvé dans mes viscères ? De l'acide prussique !
— Tu fabules, tu romances…
— J'm suis jamais fait baiser deux fois de suite.
— Eh ben tu sais pas ce que tu perds !

Réalisé par Michel Audiard. Adaptation de Jean-Marie Poiré. Scénario et dialogues de Michel Audiard.

Bon, ben ça, c'est dit !

André Dussollier à Gérard Depardieu dans ***36, quai des Orfèvres*** (2004).

— Vous proposez quoi ?
— On tape en dehors des heures légales. On les surprend en pleine nuit et on tire dans le tas.
— Et le code de déontologie policière, vous en faites quoi ?
— Il y a longtemps que j'ai fini de me torcher le cul avec ce putain de code !

Réalisé et écrit par Olivier Marchal, d'après un scénario original d'Olivier Marchal, Frank Mancuso et Julien Rappeneau, avec la participation de Dominique Loiseau.

Et les amis à lunettes, alors ?

Thibault Verhaeghe dans ***Jeux d'enfants*** (2003).

Les amis, c'est comme les lunettes : ça donne l'air intelligent, mais ça se raye facilement…

Gonflé, l'ami Brialy !

Françoise Rosay à Jean-Claude Brialy dans ***Les Yeux de l'amour*** (1959).

Vous excusez ! Eh bien ! dites donc ! Je vous donne asile, vous couchez avec ma fille, vous disparaissez avec elle, et quatre mois plus tard, vous vous excusez d'interrompre ma sieste !

Réalisé par Denys de La Patellière. Scénario de Roland Laudenbach et Denys de La Patellière, d'après le roman de Jacques Antoine, *Une histoire vraie*. Dialogues de Michel Audiard.

Olivier, alias Sonia...

Tchéky Karyo à Stéphane Metzger dans ***Dobermann*** (1997).

(L'inspecteur Cristini, s'adressant à Olivier, un transsexuel du nom de Sonia...)

Alors, ça marche les affaires, Sonia ? Ça doit forcément marcher... avec une Lamborghini. Elle est à toi cette merveille ? *(S'adressant à son collègue)* Tu te rends compte, faudrait en sucer des kilomètres de queues pour se payer une bagnole comme ça !

Réalisé par Jan Kounen. Scénario et dialogues de Joël Houssin, d'après sa série *Le Dobermann*.

En Père Noël, il en était déjà une...

Anémone à Gérard Jugnot dans ***Le Quart d'heure américain*** (1982).

— T'es une ordure !
— Oui, je suis une ordure. Toi, t'es un déchet.
Comme ça, tout est dit !

Réalisé par Philippe Galland. Scénario de Philippe Galland et Gérard Jugnot, d'après une idée originale de Philippe Galland, avec la participation de Jean-François Balmer.

De bonne guerre...

Une maîtresse occasionnelle à Marc Lavoine dans ***Le Cœur des hommes*** (2003).

— C'est génial... On sait déjà qu'un jour j'en aurai marre de me faire baiser dans une chambre d'hôtel, deux fois par semaine, et que je te dirai pendant que tu te rhabilleras pour la dernière fois : "On arrête, j'ai quelqu'un d'autre."
— Si tu peux m'éviter le "J'ai quelqu'un d'autre", ça m'arrange. Te connaissant, c'est pas la peine de préciser.
— Je te le dirai pas pour te l'apprendre, je te le dirai pour te faire chier !

Nul de chez nul !

Mélanie Doutey à Jean-Paul Rouve dans ***Ce soir, je dors chez toi*** (2007).

— Mais toi, de toutes façons, tu sais pas t'engager. Que ce soit avec moi, dans ton travail, avec tes amis, tu sais pas t'engager, Alex !
— Écoute Lætitia… Monospace à crédit, les vacances à La Baule, l'armée de marmots, ça m'étouffe. Faut que tu comprennes une chose, si je vis avec toi, je te perds.
— La pauvre phrase… C'est nul. T'es nul !

Réalisé par Olivier Baroux. Adaptation et dialogues de Michel Delgado et Jean-Paul Bathany, librement adapté des bandes dessinées de Dupuy et Berberian *Monsieur Jean*.

Le jardinier d'Argenteuil

Jean Gabin dans ***Le Président*** (1960).

On est gouvernés par des lascars qui fixent le prix de la betterave et qui ne sauraient même pas faire pousser des radis !

Réalisé par Henri Verneuil. Dialogues de Michel Audiard, d'après le roman de Georges Simenon.

Recadrage tardif de l'autorité paternelle...

Léa Drucker à Vincent Elbaz dans ***Tel père, telle fille*** (2007).

(Parlant de leur fille adolescente...)

Je me la suis coltinée pendant treize ans, tu peux bien t'en occuper pendant quelques mois ! Pendant que tu te la jouais rock star, l'artiste maudit, ben moi pendant ce temps-là, je changeais les couches, je voyais plus que ma famille, je faisais que bosser. Maintenant toi tu viens me faire la morale comme quoi je suis une mauvaise mère ! T'es quoi pour me dire ça, connard !

Réalisé par Olivier de Plas. Scénario de Bernard Jeanjean et Olivier de Plas, d'après le roman de Virginie Despentes *Teen Spirit*.

Un conseil d'ami

Charles Southwood à André Pousse dans ***Quelques messieurs trop tranquilles*** (1972).

— Vous avez cinq minutes pour vous casser !
— C'est des menaces que vous me faites ?
— Non, c'est un conseil…

Échange de compliments…

Alain Chabat à Charlotte Gainsbourg dans ***Prête-moi ta main*** (2006).

— Vous avez peur de quoi ? Ça va, on va pas se marier. De toute manière, vous êtes pas du tout mon genre. J'aime les nanas avec des nichons.
— Ouais, ben moi, j'aime les mecs avec des couilles !

Réalisé par Éric Lartigau. Scénario de Laurent Zeitoun, Philippe Mechelen, Grégoire Vigneron, Laurent Tirard et Alain Chabat.

L'ivresse du pouvoir

Danièle Darrieux à Bernard Blier dans ***Marie-Octobre*** (1959).

— Je ne savais pas que vous aviez la rosette…
— C'est excellent pour la clientèle, la rosette. Ça fait monter les honoraires !

Réalisé par Julien Duvivier. Adaptation de Julien Duvivier et Jacques Robert, d'après son roman. Dialogues d'Henri Jeanson.

Conseil d'ami

Michel Blanc à Gérard Jugnot dans ***Les bronzés font du ski*** (1979).

Écoute Bernard, je crois que toi et moi, on a un peu le même problème, c'est-à-dire qu'on peut pas vraiment tout miser sur notre physique, surtout toi ! Alors si je peux me permettre de te donner un conseil, c'est "oublie que t'as aucune chance, vas-y, fonce". On ne sait jamais… sur un malentendu, ça peut marcher !

Réalisé par Patrice Leconte. Scénario et dialogues de l'équipe du Splendid.

Tu te démerdes !

Jean-Pierre Daroussin à Valeria Bruni Tedeschi dans ***Ah ! Si j'étais riche*** (2002).

(En instance de divorce, il découvre que sa femme ne veut plus repasser ses chemises…)

— C'est quoi ça, y'en a aucune qui est repassée ? !
— *(Ironique)* C'est trop bête. Maria a dû oublier.
— Maria ? Quelle Maria ? *(Il réalise…)* Ah, oui, très drôle. Je fais comment pour aller au boulot ?
— Tu fais comment ? Comment faire ? Attends, je vais t'apprendre quelque chose… Ce que ta mère ne t'a jamais appris : te démerder !

Parfums de femme

Daniel Russo à Zabou Breitman dans ***L'Homme idéal*** (1997).

— Tu me gâches la vie avec tes parfums de merde qui empestent !
— Quoi ?
— Parfaitement. Tu pues !
— Paul…
— Tu schlingues !
— Paul…
— Et ça me fait honte. Mais tu vois pas que tu fais chier tout le monde. Tu vas bientôt devenir une zone à risques, comme Tchernobyl !

Réalisé par Xavier Gélin. Scénario de Dominique Chaussois, Gilles Niego et Xavier Gélin. Adaptation et dialogues de Dominique Chaussois, Xavier Gélin et Pascal Légitimus.

Insinuations...

Fanny Ardant dans ***Pédale douce*** (1996).

J'voudrais bien savoir comment elle était coiffée, sa grand-mère, à la Libération...

Réalisé par Gabriel Aghion. Scénario de Gabriel Aghion. Adaptation de Gabriel Aghion et Patrick Timsit. Dialogues de Pierre Palmade.

Malade imaginaire et médecin malgré lui !

Une malade âgée à Didier Bourdon, pharmacien, dans ***Le Pari*** (1997).

— … À moins que ce soit les suppositoires qui m'aient donné la diarrhée… encore que ce matin, je ne sois pas allée à la selle…
— Mais on s'en fout la vieille.
— … Alors, je suis encombrée, je suis ballonnée, c'est très désagréable, qu'est-ce qu'on peut faire ?
— Pète un coup, ça te fera du bien !

Tu vas rire, je te quitte !

Judith Godrèche à Dan Herzberg dans ***Tu vas rire, mais je te quitte*** (2005).

— Olivier, j'ai plus envie de vivre avec toi. Je ne veux plus vivre avec toi ! L'appartement est à mon nom, le plus simple c'est que tu remballes tes affaires et que tu t'en ailles.
— Qu'est-ce qui te prend ? Qu'est-ce que j'ai fait ?
— Rien, rien. Je m'ennuie, c'est tout. J'ai l'impression d'être en prison. Avec toi je peux rien faire, t'es chiant, t'es jaloux, t'es radin, tu te lèves tôt et t'as aucune opinion sur rien. Quand je pense à tous les gens brillants que j'ai croisés dans ma vie avant de te connaître, je comprends même pas comment j'ai pu tomber amoureuse de toi !

Réalisé par Philippe Harel. Scénario et adaptation de Philippe Harel et Éric Assous, d'après l'œuvre d'Isabelle Alexis.

Ce qu'on appelle un plan cul, en somme

Jean Yanne à Guillaume Canet dans ***Je règle mon pas sur le pas de mon père*** (1999).

— C'était une Espagnole petit format ?
— Portugaise.
— Ah ! je m'souviens… Signe de croix avant de se mettre sur le dos, ta mère… C'était à l'hôtel Ulysse de Bourg-les-Péages !

Réalisé par Rémi Waterhouse. Scénario de Rémi Waterhouse et Éric Vicaut. Adaptation et dialogues de Rémi Waterhouse.

Question instructive

Raymond Rouleau à Tilda Thamar dans ***Massacre en dentelles*** (1951).

— Sans indiscrétion, quel âge a votre mari ?
— L'âge d'être mon père, et je n'ai pas du tout l'esprit de famille…

Réalisé par André Hunebelle. Scénario et dialogues de Michel Audiard.

331

Disponible et motivée...

Carole Bouquet à Jean Reno dans ***Wasabi*** (2001).

Mais si elle t'avait vraiment aimé, ta Japonaise, elle serait là, à tes côtés, aujourd'hui. Et elle t'aurait fait de beaux enfants. Mais elle est partie, Hubert. Elle t'a laissé que des souvenirs et des recettes de cuisine. Le jour où ton cœur sera libre, fais-moi signe. J'ai plein de défauts, je fais pas la cuisine, mais je fais très bien l'amour !

Flatteries et fellation...

Julie Ferrier à Jocelyn Quivrin dans ***Notre Univers impitoyable*** (2008).

— Mais j'ai pas envie de vivre avec toi.
— Éléonore, je t'aime. Je pensais que c'était qu'une histoire de cul, mais je me rends compte que...
— Que quoi ? Que je te contredis jamais ? Que je te flatte et que je te suce ? Mais c'est pas de l'amour ça...

Drôle de mêlée...

Emmanuelle Béart à Frédérique Bel dans ***Mes Stars et Moi*** (2008).

— Je crois que je viens de me faire plaquer.
— Plaquer ? En même temps, par un rugbyman…

Perdu une occasion de se taire...

David Kammenos et Géraldine Nakache dans ***Comme t'y es belle !*** (2006).

(Lors du repas de shabbat, alors qu'on débarrasse la table...)

— C'est d'un con ces traditions qui évoluent pas.
— Ah ! ouais ? Pourquoi, t'aimerais faire évoluer les traditions, toi, peut-être ?
— Bien sûr, ouais.
— Ah ! ouais ?
— Oui.
— Ah ! ouais... Eh ben, ramène ça à la cuisine, va !

Réalisé par Lisa Azuelos. Scénario de Lisa Azuelos avec la collaboration de Michaël Lellouche et Hervé Mimran.

On s'est aimés comme on se quitte...

Maïwenn à Pascal Greggory dans ***Pardonnez-moi*** (2006).

(Pascal Greggory joue le père de Maïwenn...)

— Tu comprends que j'aie besoin d'entendre une seule fois que celui qui a gâché mon enfance, il regrette, il n'aurait pas dû faire tout ça. J'ai besoin de l'entendre.

[...]

— Je regrette... tiens ! Je regrette d'avoir connu ta mère.

Vedette interchangeable...

Guillaume Canet à François Berléand dans ***Mon Idole*** (2002).

(Cherchant à déplacer un cadavre déguisé en kangourou...)

— Qu'est-ce que vous voulez faire ?
— Ben, le foutre dans les bois, il a toujours adoré la nature.
— Attendez, je vous arrête tout de suite, là. Si vous croyez que je vais vous aider à enterrer un animateur vedette en pleine forêt, vous me prenez définitivement pour un con. Qu'est-ce que j'y gagne, moi, à fermer ma gueule ?
— ... Sa place.

Vive les antibiotiques !

Jean Gabin dans ***Le Sang à la tête*** (1956).

Vous la connaissez pas, mais c'est un drôle de personnage. Sans la découverte des sulfamides, elle vérolait toute la Charente !

Réalisé par Gilles Grangier. Scénario et adaptation de Michel Audiard et Gilles Grangier, d'après le roman de Georges Simenon *Le Fils Cardinaud*. Dialogues de Michel Audiard.

Ça va la p'tite famille ?

Gérard Jugnot à Monsieur Giuseppe dans ***Les Bronzés 3*** (2006).

— Et Madame Giuseppe toujours... ?
— Morte.
— Ah ! formidable ! Et les enfants ?
— Ils sont morts aussi.
— Ah ! ben comme ça, vous êtes tranquille !

Réalisé par Patrice Leconte. Scénario et dialogues de Josiane Balasko, Michel Blanc, Marie-Anne Chazel, Christian Clavier, Gérard Jugnot et Thierry Lhermitte.

Adultère !

Jean-Pierre Daroussin à Valeria Bruni Tedeschi dans ***Ah ! Si j'étais riche*** (2002).

(Aldo, très en colère, met sa femme adultère à la porte…)

— Va te faire sauter ! J'espère qu'il te fait jouir au moins !
— Tu veux vraiment savoir ? Ben, oui il me fait jouir… Et ça me change !

Écrit et réalisé par Michel Munz et Gérard Bitton.

On ne se moque pas du physique !

Bernard Giraudeau à Michel Blanc dans ***Viens chez moi, j'habite chez une copine*** (1981).

— Dis donc, je t'avais jamais vu à poil. *(Ironique.)* Tu sais que t'es une vraie bête, toi !
— Oui, ben, te moque pas, c'est parce que j'ai été dispensé de gym à l'école, alors…
— Ah ! c'est sûr que le sport y a perdu !

Du tac au tac

Josiane Balasko dans ***Absolument fabuleux*** (2001).

(Surprenant son mari en flagrant délit d'adultère…)

Juste deux mots : pension, alimentaire.

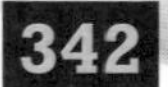

Le fils du boulanger...

Gérard Lanvin à Samuel Le Bihan dans ***3 Zéros*** (2002).

— Quand on a la tête en beurre, faut pas s'approcher du four, mon gars.
— Je suis pas venu pour parler brioche !

Réalisé par Fabien Onteniente. Scénario, adaptation et dialogues de Fabien Onteniente, Philippe Guillard et Emmanuel Booz.

343

Ça fait toujours plaisir...

Deux vendeuses à Pierre Richard dans ***Je suis timide mais je me soigne*** (1978).

(Elles tentent de trouver la bonne taille de slip pour Pierre Richard...)

— Ilda ! Pour monsieur, en slip, c'est du 2 ou du 4 ?
— Du 2. Il est un peu comme Jean-Jacques.
— Oh, non, penses-tu ! Autant Jean-Jacques a la taille mince, autant monsieur est fort du bassin !
— Il est pas fort du bassin, il a les épaules étroites !

Elles se ressemblent, non ?

Kad Merad à Guillaume Canet dans ***Un Ticket pour l'espace*** (2006).

(Dans la fusée, Kad Merad regarde par le hublot...)

— *(Il siffle.)* Ah ! ouais ! Quand même !
— Quoi ?
— C'est plus grand que je pensais la Corse.
(Guillaume Canet jette un œil.)
— C'est l'Afrique !

Réalisé par Éric Lartigau, Pierre-François Martin-Laval et Frédéric Proust. Scénario original et dialogues de Kad et Olivier et Julien Rappeneau.

Fragile de la tête...

Gérard Lanvin à Michel Blanc dans ***Marche à l'ombre*** (1984).

Tu supportais pas la chaleur, t'as même fait une insolation dans une boîte de nuit !

Espèce en voie de disparition...

Jean Gabin à un député dans ***Le Président*** (1960).

— Je vous reproche simplement de vous être fait élire sur une liste de gauche et de ne soutenir à l'Assemblée que des projets d'inspiration patronale.
— Il y a des patrons de gauche, je tiens à vous l'apprendre.
— Il y a aussi des poissons volants, mais ils ne constituent pas la majorité du genre !

Réalisé par Henri Verneuil. Dialogues de Michel Audiard, d'après le roman de Georges Simenon.

Lis un peu jusqu'au bout...

Miou-Miou à Jean-Pierre Daroussin dans ***Est-ce bien raisonnable ?*** (1981).

Lis un peu la lettre jusqu'au bout. Tu parles que du début, là où je dis "je t'aime". Lis un peu la fin, là où je dis qu'il ne faut plus jamais que tu reviennes, plus jamais Henri.

Réalisé par Georges Lautner. Scénario de Jean-Marie Poiré. Dialogues de Michel Audiard.

Le choc des cultures

Julien Guiomar à Jean-Paul Belmondo dans ***L'Incorrigible*** (1975).

— Ne serait-ce qu'à cause de ton vocabulaire, tu ne connaîtras jamais l'atroce volupté des grands chagrins d'amour. Mais tout le monde n'a pas la stature d'un tragédien… Contente-toi du bonheur, la consolation des médiocres.
— Tu as raison de me remettre à ma place Camille, tu es fait pour les alexandrins et la pourpre, moi pour les shampouineuses et les pinces à vélo !

Réalisé par Philippe de Broca. Scénario de Philippe de Broca et Michel Audiard, d'après le roman d'Alex Varoux *Ah… mon pote !*. Dialogues de Michel Audiard.

La différence

Jean-Paul Belmondo à Georges Geret dans ***Le Guignolo*** (1979).

— Vous savez quelle différence il y a entre un con et un voleur ?
— Non.
— Un voleur, de temps en temps, ça se repose !

Réalisé par Georges Lautner. Scénario de Jean Herman. Dialogues de Michel Audiard.

L'affaire est pas gagnée mon pote !

Jean-Paul Rouve à Mélanie Doutey dans ***Ce soir, je dors chez toi*** (2007).

— Bon Lætitia. Vivre ensemble, c'est un peu ce qu'on fait, hein... Tu dors chez moi une ou deux fois par semaine, je dors chez toi une ou deux fois par mois : la vie à deux, quoi.
— On n'est pas un couple, on est un attelage !

Réalisé par Olivier Baroux. Adaptation et dialogues de Michel Delgado et Jean-Paul Bathany, librement adapté des bandes dessinées de Dupuy et Berberian *Monsieur Jean*.

Mademoiselle Chanel

Benoît Poelvoorde à Audrey Tautou dans ***Coco avant Chanel*** (2009).

— On peut savoir ce que tu as fait de la robe que je t'avais offerte ?
— Je l'ai rependue à la fenêtre, j'avais l'impression de porter tes rideaux !

Réalisé par Anne Fontaine. Scénario et dialogues de Camille Fontaine, Christopher Hampton et Anne Fontaine, d'après l'œuvre d'Edmonde Charles-Roux.

Plus con que con !

Georges Geret dans ***La Grande Sauterelle*** (1967).

Ce que tu peux être con ! T'es même pas con, t'es bête. Tu sais rien, tu vas jamais au cinoche, tu te tiens au courant de rien. Si ça se trouve, t'as même pas de cerveau. Quand on te regarde par en dessus, on doit voir tes dents !

Réalisé par Georges Lautner. Scénario original de Vahé Katcha, Michel Audiard et Georges Lautner. Dialogues de Michel Audiard.

CC contre BB

Claudia Cardinale à Brigitte Bardot dans ***Les Pétroleuses*** (1971).

— Qu'est-ce qu'elle a ma voix ?
— Ma tante avait la même.
— Elle chantait ?
— Non ! Elle vendait du poisson à la criée.

Réalisé par Christian-Jaque. Scénario, adaptation et dialogues de Marie-Ange Aniès, Daniel Boulanger, Clément Bywood et Jean Nemours, d'après une histoire originale d'Eduardo Manzanos Brochero.

De la télé au ministère...

Bernard Campan à Isabel Otero dans ***Le Pari*** (1997).

— C'est qui le Franck machin ? Je connais pas.
— Mais si, l'animateur de "Dites-le avec le cœur", tu sais, celui qui a fait 37 % de parts de marché... avec les travestis de plus de soixante ans.
— Ouais, un futur ministre de la Culture, quoi !

Écrit et réalisé par Didier Bourdon et Bernard Campan.

Le videur et le vanneur...

Frédéric Pellegeay, le videur, à Guillaume Canet dans ***Les Morsures de l'aube*** (2001).

— J't'avais dit qu'j'voulais plus voir ta gueule ! Alors ? Antoine le mariolle, à cause de toi tout le monde m'a pris pour un con !
— Au rythme où ça va, tôt ou tard, ça te pendait au nez, hein !

Réalisé par Antoine de Caunes. Scénario, adaptation et dialogues de Laurent Chalumeau, librement adapté de l'œuvre de Tonino Benacquista.

Le sens du compliment

Philippe Khorsand à Élisabeth Margoni dans ***Mes Meilleurs Copains*** (1989).

— Je peux vous poser une question très personnelle ?
— Hein ? Ah ! oui… si vous voulez…
— Qu'est-ce que vous avez pensé de moi la première fois que vous m'avez vu ?
— Sincèrement ? Rien ! Je ne vous vexe pas, j'espère ?
— Non, ça me coupe une jambe, mais j'ai l'habitude.

Réalisé par Jean-Marie Poiré. Scénario, dialogues et adaptation de Jean-Marie Poiré et Christian Clavier.

Du rêve à la réalité...

Gilles Lellouche à Vincent Elbaz dans ***Ma Vie en l'air*** (2005).

— C'est un doc sur les bœufs de Kobé. Ils sont massés et nourris à la bière toute leur vie. Le rêve !
— Ton rêve !
— Mon rêve ! Putain ! Tu crois qu'après ma mort, j'ai des chances d'être réincarné en bœuf de Kobé ?
— Non ! Je crois que dans une vie antérieure t'étais un bœuf de Kobé et que t'as été réincarné en homme !

La meilleure façon de marcher...

José Garcia à Patrick Timsit dans ***Quelqu'un de bien*** (2002).

On juge un mec sur deux trucs : sa bagnole et ses pompes. *(Il regarde les chaussures sales de Patrick Timsit...)* Pas de bol... T'avais sport ce matin, toi ?

Réalisé par Patrick Timsit. Scénario de Jean-François Halin, Jean-Carol Larrivé et Patrick Timsit.

Poissard, malchanceux, infortuné...

Un douanier à Gérard Depardieu, parlant de Pierre Richard dans ***La Chèvre*** (1981).

— Il est très émotif.
— Non, non, il s'est cogné la tête ce matin à Paris, puis là, il vient de se la recogner.
— C'est pas son jour, dites donc.
— C'est jamais son jour… !

Une haleine de coyote !

Chantal Lauby à Sam Karmann dans ***La Cité de la peur*** (1994).

— Vous voulez un chewing-gum ?
— Ah ! non, merci, non.
— Ah ! si, si, si, prenez un chewing-gum, Émile !

Réalisé par Alain Berberian. Scénario de Chantal Lauby, Alain Chabat et Dominique Faruggia.

À pied, à cheval, mais plus en voiture...

Bourvil à Louis de Funès dans ***Le Corniaud*** (1965).

(Après une légère collision, la 2 CV de Bourvil est en miettes…)

— Maintenant, elle va marcher beaucoup moins bien forcément ! Je vous en prie, ne vous gênez pas, marchez dessus !
— C'est pas grave…
— Vous en avez de bonnes ! C'est pas grave… Qu'est-ce que je vais devenir, moi ?
— Ben, un piéton !

Réalisé par Gérard Oury. Scénario de Gérard Oury. Adaptation de Gérard Oury et Marcel Jullian. Dialogues de Georges et André Tabet.

Danse marseillaise

Raimu à Pierre Fresnay dans ***Marius*** (1931).

— Mon pauvre enfant…
— Qué, qué “mon pauvre enfant” !
— Quand on fera danser les couillons, tu seras pas à l’orchestre !

Réalisé par Alexandre Korda. Scénario et dialogues de Marcel Pagnol, d’après son œuvre.

Exécution sommaire

José Garcia à François Cluzet, pilote automobile, dans ***Quatre Étoiles*** (2006).

Enfin, tu pensais pas quand même qu'une fille comme elle avec un type comme toi… Enfin tu t'es regardé, quoi… Je veux dire, à part des millions sur un compte en banque, t'as quoi ? T'as pas d'humour, t'as pas de conversation… Tu sens l'essence !

Réalisé par Christian Vincent. Scénario et dialogues d'Olivier Dazat et Christian Vincent.

De Strasbourg ?

Eddie Constantine à Dominique Wilms dans ***La Môme vert-de-gris*** (1953).

Au revoir Vert-de-Gris. Confidence pour confidence, à côté des filles de Dallas, Texas, tu fais nature morte et tu embrasses comme une saucisse.

Réalisé par Bernard Borderie. Adaption de Bernard Borderie, d'après le roman de Peter Cheyney. Dialogues de Jacques Berland.

Peau de banane

Michel Blanc à Josiane Balasko dans ***Les Bronzés*** (1978).

— Je t'ai fait une coupe avec des fruits. Pour bien faire, il aurait fallu une cerise confite…
— Pour bien faire, il aurait fallu éplucher la banane. Non ?

Réalisé par Patrice Leconte. Scénario de l'équipe du Splendid et Patrice Leconte.

Index des films

0-9

A

B

C

D

E

F

G

H

I

J

L

M

N

O

T

U, V, W, X, Y, Z

Directrice générale : Fabienne Kriegel
Éditrice : Nathalie Lefebvre
Suivi d'édition : Flavie Gaidon
Directeur artistique : Camille Durand-Kriegel
Recherches documentaires : Sophie Boyens
Lecture-correction : Myriam Blanc et Alexandra Dambrin
Fabrication : Amandine Sevestre et Alice Le Flahec

Achevé d'imprimer en Italie chez EUROPRINTING.
Dépôt légal : septembre 2009
ISBN : 978-2-81230-124-7
34/2286/2-01